Nuit d'angoisse
à l'île aux Oiseaux

D0892937

Souris noire

Collection dirigée par Natalie Beunat

Couverture illustrée par Christophe Merlin

ISBN : 978-2-74-850639-6

Jeanne Faivre d'Arcier

Nuit d'angoisse
à l'île aux Oiseaux

SYROS

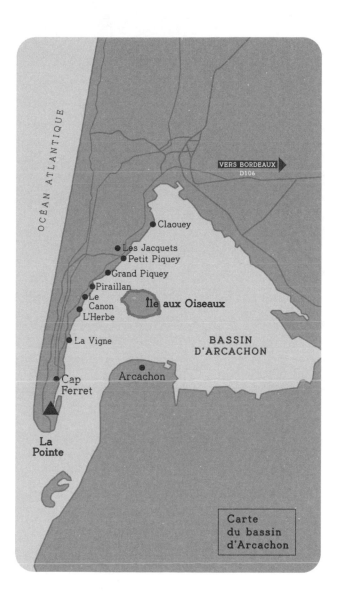

OCÉAN ATLANTIQUE

VERS BORDEAUX
D106

● Claouey

● Les Jacquets
● Petit Piquey
● Grand Piquey
● Piraillan
● Le
  Canon
● L'Herbe

Île aux Oiseaux

● La Vigne

BASSIN
D'ARCACHON

● Cap
  Ferret

● Arcachon

La
Pointe

Carte
du bassin
d'Arcachon

1

Moi je vous le dis, avoir pour mère une journaliste aussi connue qu'une star de cinéma n'est pas une sinécure : elle saute dans un avion chaque fois qu'une catastrophe se produit dans un pays lointain au nom très compliqué. Je la vois moins souvent en chair et en os que vous au journal télévisé de vingt heures, le micro à la main, devant un camp de réfugiés victimes d'un raz-de-marée ! Elle a un agenda de ministre. Même pendant les vacances scolaires où nous séjournons au Cap-Ferret, elle ne décroche pas de son travail : elle reste toute la sainte journée scotchée devant l'écran de son ordinateur, le téléphone portable à l'oreille.

Tenez, nous sommes le lundi de Pâques et elle m'avait laissé entendre que nous irions durant le week-end pique-niquer à l'île aux Oiseaux, au milieu du bassin d'Arcachon, ce grand lac salé qui communique avec l'océan Atlantique. Et patapoum ! Samedi à l'aube, elle a reçu un appel en urgence du directeur de sa chaîne et elle a travaillé d'arrache-pied jusqu'au dimanche soir. Elle ne s'est même pas arrêtée à l'heure des repas. Le réfrigérateur était vide ; j'ai pioché dans les réserves de sardines à l'huile et je suis allé faire de la planche à voile, histoire de me remonter le moral. Le Zodiac est amarré à dix mètres du rivage, juste sous les fenêtres de sa chambre, mais j'aurais pu l'emprunter et filer à l'île aux Oiseaux qu'elle n'aurait pas levé le nez de ses fichus dossiers ! Je ne l'ai pas fait, car ma mère dit que les courants du bassin d'Arcachon sont trop dangereux pour qu'un garçon de quatorze ans qui ne connaît pas grand-chose à la navigation se risque tout seul sur l'eau. De toute façon, je n'aime pas naviguer en solitaire, alors...

Nous sommes lundi matin, le baromètre s'est mis sur pluie et vent, et ma mère, qui a enfin bouclé son projet de reportage, me lance d'une voix sucrée :

– Alors, Frédéric, mon chéri, tu es d'attaque pour prendre le Chorizo ?

Le Chorizo, c'est le surnom qu'elle a donné à notre Zodiac : il a la couleur et la forme d'un gros saucisson. D'habitude, cette plaisanterie me fait rire. Ce matin, je suis d'une humeur de chien, après avoir attendu deux jours entiers que *Madame* daigne se souvenir de mon existence. Je lui réponds donc vertement que c'est à elle de se plier aux contraintes de la météo et non le contraire, et qu'avec le grain qui menace elle va pouvoir s'enfermer dans son antre et préparer tranquillement sa prochaine expédition en Patagonie ou sur la planète Mars.

Ma mère blêmit de rage. Comme il y a des paires de claques dans l'air, je sors de la maison qu'elle a achetée sur un coup de cœur, il y a deux ans, parce qu'elle ressemble à un réveille-matin et que le jardin, aménagé à flanc de colline, donne directement sur la plage.

C'est d'ailleurs par là que je prends la tangente : je cavale sur la grève et, cent cinquante mètres plus loin, je gravis quelques marches situées à ma gauche, puis j'emprunte une ruelle qui dessert le village ostréicole de Piraillan. Ma mère me suit et me crie de rentrer, et plus vite que ça ! Je tourne à droite, derrière un hangar, encore à droite, entre deux bassins de dessalage, et je me faufile au fond d'une vieille cabane bâtie à l'entrée du port, derrière l'un de ces engins de manutention dont les ostréiculteurs se servent pour transporter leurs bourriches d'huîtres. Ma mère, qui m'a perdu de vue, m'appelle sur tous les tons. Elle pousse un gros soupir, marmonne qu'il faut avoir le cœur bien accroché pour élever seule un ado en pleine puberté. Les semelles de ses tennis crissent de l'autre côté de la porte de la cabane – flûte, elle a trouvé ma cachette, ça va chauffer ! Je tire une bâche trouée sur moi. Heureusement pour mes abattis, elle doit s'imaginer que la cahute est verrouillée à double tour, car elle tourne les talons et jure de me réexpédier à l'internat par le premier avion si je continue à faire ma tête de pioche. Elle s'éloigne, arpente la jetée, croyant peut-être que je me suis réfugié dans un bateau amarré à quai...

Son pas décroît en direction de la plage : elle a renoncé à me pourchasser et se dirige vers le Réveille-Matin. Le silence revient, à peine troublé par le chuintement des vagues et le cri des mouettes.

Je sors mon téléphone de la poche de mon jean et je compose le numéro de papa, à Neuilly. C'est sa seconde femme qui décroche. Elle s'exclame :

– Voyons, Fred, tu sais bien qu'à cette heure-là ton père est à l'hôpital des Quinze-Vingts, en salle d'op !

Brillant chirurgien ORL, mon père est toujours en salle d'opération, et ma mère en conférence de rédaction.

Quelque part, dans l'appartement de Neuilly, je perçois les braillements de ma demi-sœur qui réclame son biberon. Je devine, au ton irrité de ma belle-mère, qu'elle n'est pas d'humeur à me voir débarquer avec ma valise, même si mon père et elle occupent un duplex de sept pièces agrémenté d'une grande terrasse plein sud.

Le cœur gros, je retourne flemmarder au bord de la grève. Je regarde les ostréiculteurs manœuvrer leurs chalands entre les parcs à huîtres situés à une centaine de mètres du rivage.

Je suis là depuis un bon moment, assis contre un canot, un air de Massive Attack rugissant dans les oreillettes de mon baladeur, lorsque les gars qui travaillaient sur l'eau regagnent la terre ferme à toute vitesse. Ils doublent les amarres avec lesquelles ils attachent leurs chalands à des pieux fichés profondément dans le sol ; je questionne l'un d'eux qui passe tout près de moi, l'air affairé :

– Ça va souffler fort ?

– Vent de sud, c'est le pire.

– C'est parce que vous craignez un grain que vous avez attaché votre bateau avec des câbles métalliques ?

– La tempête, ça te brise un navire comme du bois mort, mon garçon...

– Ah bon ? Il est lourd votre chaland, pourtant !

Il hausse les épaules et je comprends, à son visage fermé, qu'il n'a aucune envie de me faire la causette : les gens du cru ne fréquentent guère les citadins qui ont tendance à se comporter en pays conquis...

Le ciel vire au noir d'encre, l'ouragan s'engouffre d'un seul coup dans le bassin depuis les passes, une zone de courants violents située au large d'Arcachon. Tête baissée, je rentre chez moi par la plage, luttant contre la bourrasque qui siffle à mes tympans. Une fois sur la terrasse de la maison, je lance un coup d'œil machinal au Zodiac. La marée descendante va le pousser vers le sud : la chaîne de l'ancre est trop fragile, elle ne résistera pas à la violence des vagues et du vent.

– Maman, le Chorizo ne tiendra pas le coup ! Maman, viens m'aider !

Silence radio, elle doit encore pérorer au téléphone avec un cameraman ou un preneur de son !

Je dégringole les marches jusqu'à la rive et je me jette à la flotte pour harponner le Zodiac et le mettre à l'abri.

Comme je mesure un mètre soixante-douze et que j'ai la carrure d'un sportif, je crois y parvenir en deux temps trois mouvements : le Chorizo mouille tout près du bord. Mais j'ai sous-estimé la force du clapot qui me tape dans les jambes, me boxe, me coupe la respiration. Je perds l'équilibre, je bascule dans l'eau. Alors que je me relève, un peu sonné, la vague suivante me gifle à me dévisser la tête. Asphyxié, je tousse et crache de l'eau, les jambes flageolantes, lorsqu'une voix tendue s'élève dans mon dos.

– Fred ! À cinq mètres sur ta gauche, tu as une bouée de corps-mort, attrape-la !

Tournant la tête, j'aperçois ma mère qui s'élance vers moi, pâle d'angoisse, sa frange noire dans les yeux. Je tente d'agripper la bouée de mouillage lestée de blocs de ciment à laquelle notre voisin amarre son voilier, peine perdue, la marée descendante m'entraîne dans la direction opposée. J'essaie de nager, impossible : mes

baskets et mon blouson d'aviateur m'alour-
dissent, je barbote sur place comme un chiot
de trois mois.

– Maman, reste où tu es, c'est très
dangereux !

– Je le sais bien, tu me fiches la trouille
à t'agiter comme ça en plein courant.
Attends, ne bouge pas, j'arrive !

Ma mère est haute comme trois pommes
et elle doit peser quarante-cinq kilos en
short et débardeur, mais elle est persuadée
qu'elle peut mener l'océan et les cyclones
à la baguette !

– Non, surtout pas, maman, tu vas te
noyer !

Mon cri se perd dans le fracas de la
tempête, une lame de fond me blackboule
contre le moteur d'un bateau de plaisance
chahuté par les remous, à cinq mètres
du Zodiac. Un pétard explose dans mon
crâne, des étoiles dansent devant mes
yeux, mes oreilles sifflent, j'entends vague-

ment ma mère hurler, l'obscurité m'engloutit, je coule à pic...

Deux mains noueuses m'empoignent aux aisselles et me hissent à l'intérieur d'une barque à moteur qui tangue au milieu des flots. Le souffle court, je vomis les saletés que j'ai avalées.

– Voilà, mon gars, respire à fond, oui, encore !

Un grand gaillard blond d'une quarantaine d'années m'observe avec un sourire de biais, ses yeux d'un bleu perçant vrillés dans les miens. Il actionne la barre du petit moteur cinq chevaux fixé à l'arrière de son annexe. Il me dépose auprès de ma mère qu'il salue d'un vague signe, puis il réenclenche les gaz et fait demi-tour en direction du Chorizo : ainsi que je le craignais, la chaîne de l'ancre s'est brisée, le courant a jeté le Zodiac contre un chaland qui mouille non loin de là.

– Laissez tomber, s'époumone maman pour couvrir les rugissements de la tempête, il n'ira pas plus loin !

– Vous rigolez, il franchira les passes qui verrouillent le bassin si je ne le rattrape pas !

– La houle va retourner votre barque, c'est de la folie pure !

– Et perdre un Zodiac neuf qui vaut dans les quinze mille euros, ce n'est pas de la folie ?

Ma mère lui crie qu'elle a pris une bonne assurance :

– Revenez, c'est trop risqué !

L'homme n'écoute pas, il s'est tassé sur le banc de son annexe, il la pilote face au vent qui le piège dans les vagues. J'ai peur de le voir chavirer, mais non : ces pêcheurs du bassin d'Arcachon sont des magiciens, ils font caracoler leurs bateaux comme de grands dauphins de métal sur l'océan. Brisant la crête des lames, escaladant et descendant un toboggan liquide, l'homme se glisse jusqu'au Zodiac. Il l'attrape par un cordage qui serpente dans l'écume et l'attache au cul de son annexe. Poussant son moteur au maximum, il réussit ensuite à s'arracher aux tourbillons qui l'attiraient sous la coque du chaland.

– C'est un casse-cou, ce type, il a failli se rompre les os contre l'autre bateau, bougonne maman qui se retourne vers moi, partagée entre la fureur et la joie de m'avoir récupéré sain et sauf.

Je me précipite vers l'inconnu pour éviter une algarade ; l'homme se laisse porter de biais par la marée descendante ; il a l'intention de rejoindre le rivage deux ou trois cents mètres en aval du Réveille-Matin.

Lorsque je le rejoins, hors d'haleine, et que je m'empare de la chaîne de sa barque pour la tirer sur le sable, il m'assène d'un ton bourru :

– C'était avant la tornade qu'il fallait sortir ton Zodiac de l'eau !

– J'y ai pensé trop tard, m'sieu... Merci, sans vous, il était fichu, ce canot.

– Pas « monsieur » : Antoine. Dis à ton père de se méfier, les voleurs raffolent de ces engins gonflables qui sont faciles à transporter...

Je lui jette, glacial :

– Mon père, il s'en fout, et je ne le vois jamais, d'ailleurs.

Il m'observe, perplexe. Je rougis, tourne la tête et esquisse le signe de la victoire en direction de ma mère qui accourt et vitupère, haletante :

– Sans vous, monsieur, ce sale gamin y passait ! Quand je pense qu'il a risqué sa vie et la vôtre par pure bêtise, je ne sais pas ce qui me retient de lui flanquer une volée carabinée !

– Moi j'en ai vu d'autres ! minore Antoine. Mais lui, il ne devrait pas traîner tout seul dehors par ce temps de chien.

Vexée, maman lui rétorque d'un ton sec qu'elle n'a nullement besoin de ses conseils.

Antoine la toise, les mâchoires serrées. Il est impressionnant, avec ses prunelles glacées de rapace, son nez busqué, ses épaules de bûcheron ; pourtant ma mère ne se démonte pas : elle a côtoyé les pires cinglés de la planète depuis quinze ans qu'elle traîne ses guêtres de l'Afghanistan au Yémen, sans oublier la Colombie, Cuba et l'Afrique australe.

– Vous habitez sur l'un des chenaux du port de Piraillan, lui déclare-t-elle, je vous ai vu sortir d'une cabane jaune aux volets bruns avec une petite fille rousse qui vous ressemblait...

Ça, c'est ma journaliste de mère tout craché : l'air dans les vapes, mais l'œil de lynx derrière ses hublots de myope et un radar branché en permanence sur le cortex !

– Et vous, vous ne seriez pas Sabine Fontaine, le grand reporter de la télé ? réplique Antoine du tac au tac.

– Si. Vous exploitez un parc à huîtres ?

– Non, je travaille comme charpentier de marine aux ateliers Dubourdieu, le constructeur de bateaux en bois.

– Bravo, c'est un beau métier ! apprécie ma mère. Maintenant que les présentations sont faites, dites-moi si je vous dois quelque chose pour nous avoir tirés de ce bourbier, Frédéric et moi.

– Maman, arrête, tu n'es pas en reportage chez les Zoulous !

– Vous me devez un fier service ! enchaîne Antoine, qui feint d'ignorer mes protestations. Ne vous tracassez pas, je vous le rappellerai si nécessaire.

Il me coule un petit sourire torve. Je l'aide à traîner les bateaux dans la remise aménagée sous la terrasse du Réveille-Matin, pardon, de la maison. Antoine décide alors de revenir chercher son annexe le lendemain et de m'emmener à la coopérative maritime, choisir une chaîne plus solide que la précédente.

– Enfin, si ta mère le permet, bien sûr, ajoute-t-il.

Après une brève hésitation, elle hoche la tête et lui propose un café.

– Non, je suis pressé, merci, madame...

– Sabine.

– ... Ma femme s'inquiéterait, avec ce grain... À demain, Frédéric, je passerai vers dix-huit heures, après la débauche.

Il relève le capuchon de son ciré et il s'éloigne d'une démarche traînante, ralenti par la tornade et ses lourdes cuissardes qui lui donnent vaguement l'air d'un yéti égaré dans le blizzard.

– Quel rustre, il ne m'a même pas dit au revoir ! grogne maman.

– Moi, je trouve qu'il a quelque chose d'Harvey Keitel.

Je dis ça pour la taquiner, c'est son acteur préféré.

– De loin et dans le brouillard ! s'esclaffe-t-elle en me prenant par l'épaule.

Elle propose de faire des crêpes pour le déjeuner. Comme c'est ce que j'aime le plus au monde, je devine, soulagé, qu'elle a résolu de passer l'éponge sur mes « exploits » de la matinée.

2

— Ton moteur est attaqué par le sel, constate Antoine qui examine le Honda vingt-cinq chevaux fixé sur le Zodiac. Quand a-t-il été nettoyé pour la dernière fois ?

Nous sommes dans la remise, au rez-de-chaussée de la maison. Antoine vient de poser à la proue du Chorizo l'ancre et la grosse chaîne gainée d'un tube en plastique transparent qu'il a choisies à la coopérative maritime.

Je lui avoue que j'ai rangé le Chorizo au sec, à la fin de l'été dernier, sans me préoccuper de son état.

– Ta mère non plus ? Ah là là, les Kékés, tu parles d'une engeance ! se moque-t-il.

– C'est quoi, les Kékés ?

– Les Parisiens, les marins d'eau douce ! Il faut le démonter pièce par pièce, le laver, l'essuyer avec un chiffon propre et le graisser, sinon, la rouille va le bouffer, cet engin !

Je l'écoute, bouche bée, ce qui le fait sourire. Il ajoute qu'il me montrera un de ces jours la façon de procéder.

– Dimanche, si vous êtes libre !

– On verra ça... Ta mère est là ? Je voudrais la saluer avant de partir.

– Elle vous transmet son bonjour, elle est allée chez des amis à L'Herbe.

Coincé entre l'océan Atlantique à l'ouest et le bassin d'Arcachon à l'est, le Cap-Ferret est une presqu'île sableuse de vingt-cinq kilomètres de long où se nichent des villages aux noms imagés : Petit-Piquey, Grand-Piquey, Le Canon, L'Herbe, La Vigne...

– Alors, au revoir, Frédéric. Et bon appétit, c'est l'heure du dîner, conclut Antoine.

Je fais la grimace : avec Sabine qui ne porte jamais de montre, sauf quand elle doit passer en direct au journal télévisé, le repas du soir risque de se transformer en souper aux chandelles !

Antoine, qui a dû remarquer mon air exaspéré, me fixe, les sourcils froncés. Je bougonne, la tête baissée :

– Pas grave, je vais grignoter des chips au vinaigre devant ma console de jeux en l'attendant.

– Viens chez moi, tu m'aideras à rentrer ma barque au port, me dit Antoine.

Il s'assure que je pourrai prévenir ma mère de ce changement de programme. J'éclate de rire :

– Aucun problème, comme elle a peur de rater un scoop, elle laisse son portable branché jour et nuit !

De l'extérieur, la cabane d'Antoine ressemble à n'importe quelle bâtisse du domaine ostréicole, avec son revêtement en pin des Landes badigeonné de peinture jaune et ses petites fenêtres aux volets ajourés. Pourtant, à l'intérieur, on dirait une maison de poupée. Elle a des cloisons amovibles et des banquettes escamotables que l'on relève le long des murs. En bon charpentier de marine, Antoine a tiré parti du moindre recoin en aménageant la cabane à la manière d'un voilier. Malgré sa surface restreinte, elle comporte quatre pièces confortables, une minuscule salle de bains en acajou, pourvue d'une baignoire-sabot, et une buanderie. Il y a même un hamac suspendu aux poutres de la mezzanine qui surplombe la cuisine américaine. Antoine y fait la sieste. Du moins lorsque le chien de la famille, Crapulon, un schnauzer barbu et grincheux qui se prend pour un alpiniste et confond le hamac avec un bivouac de montagne, accepte de lui céder la place, m'explique Cathy.

Cathy, la femme d'Antoine, est une rouquine bien en chair que j'ai déjà vue distribuer le courrier sur la presqu'île au volant d'une camionnette de la Poste.

Des effluves d'ail, de noix de muscade et de viande frite montent d'un hachis Parmentier que Cathy saupoudre d'une épaisse couche de fromage râpé et de chapelure avant de le glisser au four. Je salive de gourmandise, le poisson pané surgelé de midi est loin ! Pour réfréner mon impatience, j'examine l'endroit d'un regard circulaire.

– Mon père, qui est ostréiculteur, est censé habiter ici, me confie Cathy. Mais depuis qu'il est veuf, il vit chez son amie et il nous laisse l'usage de la cabane.

– Génial ! Quelle chance vous avez d'habiter là !

– À ceci près qu'il nous faudra peut-être restituer les lieux aux Affaires maritimes lorsque le père de Cathy sera à la retraite, nuance Antoine d'une voix anxieuse.

– On trouvera un moyen, répond vivement sa femme. Tu prépareras un diplôme d'ostréiculture et tu reprendras les parcs de mon père...

– Jamais de la vie ! maugrée Antoine.

Il ajoute qu'il préfère construire de belles pinasses identiques à celles que les ostréiculteurs utilisaient autrefois pour naviguer sur le bassin au lieu de se bagarrer sans arrêt avec le préfet et le ministère de l'Agriculture qui restreignent la commercialisation des huîtres arcachonnaises à cause d'une algue toxique fantôme que personne n'a jamais vue !

– Comment garder la cabane sans exploiter le parc à huîtres de mon père ? objecte Cathy.

À leur échange, je devine que la crainte de perdre leur jolie maison les obsède. Les bâtiments situés sur le domaine maritime sont réservés à des tarifs préférentiels aux professionnels de la mer, et à eux seuls. Les autres doivent se loger ailleurs, ce qui est un casse-tête chinois pour les gens aux revenus modestes : j'ai souvent entendu ma mère dire que la spéculation immobilière fait rage sur le bassin d'Arcachon.

Tout à coup, je me demande combien Sabine a déboursé pour acquérir le Réveille-Matin, spacieuse villa sur l'eau flanquée d'un jardin de sept cents mètres carrés. La question ne m'avait jamais effleuré. Et là, face à Antoine et Cathy qui s'inquiètent de leur avenir, je ne sais plus trop où me fourrer ! Un trou de souris ferait bien mon affaire...

Une tornade noire à poils ras et barbichette hirsute qui déboule de l'arrière de la cabane dissipe ma gêne. Le chien saute à côté de moi sur la banquette et me repousse d'un coup de patte autoritaire comme s'il voulait me chasser de son territoire.

– Crapulon, descends ! ordonne Antoine.

La bête grommelle sa désapprobation derrière ses moustaches tombantes ; Crapulon approche sa tête en forme de balai-brosse de ma joue, me renifle avec méfiance, plante un regard insolent dans le mien et ne cède pas un millimètre de terrain.

Antoine lui montre sa corbeille, l'animal détourne les yeux, fixe la fenêtre et se met à gronder alors qu'il n'y a personne dans la ruelle. J'éclate de rire et je lui gratte le pourtour des oreilles ; il est d'un comique, ce chien, avec ses mines courroucées de colonel ronchon !

– Tu m'as l'air sacrément futé, crapule !

– C'est un comédien, un despote, une calamité à pattes, énonce une voix de fille dans mon dos.

Deux mains me passent devant la figure et tirent le chien par son collier.

– Julie, tu pourrais dire bonjour à Frédéric, quand même ! s'insurge Cathy.

– Ah oui, le naufragé solitaire ! réplique une petite nana aux cheveux poil-de-carotte.

Elle m'examine des pieds à la tête, s'assoit de l'autre côté de la table, attrape le schnauzer qui saute sur ses genoux et se love dans ses bras comme un gros poupon.

Elle a les yeux bleu foncé de son père, les taches de rousseur de Cathy, le caractère aimable d'un porc-épic et sa coupe de cheveux en brosse ! Non, mais qu'est-ce qu'elle s'imagine, cette meuf ? Que je vais lui chiper son clébard ? Je la questionne du tac au tac, l'index pointé vers l'animal qui la débarbouille à grands coups de langue :

– C'est l'heure de son biberon ?

Elle me foudroie du regard, la bouche pincée. Sa mère, qui pose le hachis Parmentier, croustillant et doré à souhait, sur la toile cirée, commente avec entrain :

– Tu as trouvé à qui parler, Julie !

Celle-ci me jauge d'un air dédaigneux, se lève et, d'un claquement de doigts, entraîne son chien, qui n'a pas le droit d'importuner ses maîtres à table, jusqu'à une corbeille en osier tapissée de coussins. Julie m'ignore jusqu'à la fin du dîner. Ses grands airs de princesse outragée me laissent froid, je fais un sort au hachis de Cathy et à sa crème au chocolat.

– Vous mangez ensemble tous les jours ? dis-je, après avoir raflé une troisième part de dessert.

Julie descend de son piédestal et m'observe, ahurie :

– Bien sûr ! Chez toi, c'est différent ?

– Oui, je suis interne dans une école américaine bilingue, à Saint-Germain-en-Laye. Lorsque ma mère est libre, nous dînons dehors. Les dernières vacances de Noël, à Amsterdam, on a écumé les restaurants thaïs, indiens et chinois, c'était super !

– Trop d'épices, ça attaque l'estomac, décrète Julie, péremptoire.

Mademoiselle-je-sais-tout me tape sur les nerfs. Je lui demanderais bien son opinion sur la soupe de crevettes à la citronnelle ou le riz biryani, mais l'irruption d'un voisin qui se plante, tout essoufflé, dans la salle de séjour m'empêche de lui river son clou :

– Antoine, vite, les voleurs sont revenus !

Celui-ci se dresse et fonce vers la porte,

son schnauzer sur les talons. Cathy retient sa fille qui s'élançait dehors.

– Pas dans les chenaux du port, sur la plage de Piraillan, crie le visiteur.

Je me joins à eux et nous voilà partis à galoper tous les trois comme des dératés dans les ruelles.

Un petit groupe de riverains braquent des lampes électriques sur le sable découvert par la marée descendante. Des chiens aboient, des hommes jurent, d'autres circulent près du port, entre les annexes et les chalands dont ils vérifient le contenu. Je vois Antoine courir vers une grande pinasse aux peintures écaillées et je m'élance à ses côtés :

– On vous a pris quelque chose ?

Il se glisse à l'intérieur de la coque endommagée, ouvre la porte de la cabine, éclaire l'habitacle d'où s'échappe une odeur de moisi. Il m'annonce qu'il manque seulement les quelques outils dont il se sert pour retaper ce vieux sabot qui ne tiendra la mer qu'une fois ses boiseries pourries changées de fond en comble.

– Une antiquité comme celle-là ne vaut rien à la revente, les manouches cherchent plutôt les moteurs neufs...

– Des Gitans ? Vous êtes sûr ?

Il hoche la tête. D'après lui, leurs enfants viennent de nuit, à marée basse, faire des repérages pour de futurs vols. Ils raflent le petit matériel qu'ils chargent à bord d'une camionnette dissimulée sur un sentier, à l'écart de la grève...

Antoine s'interrompt : Yann, un petit bonhomme trapu aux cheveux grisonnants, braille que le groupe électrogène qu'il avait rangé à l'intérieur de son bateau, un arcachonnais de quatre mètres, a disparu.

– Je l'avais payé neuf cents euros ! mugit-il. Un groupe de mille watts !

– Quelle idée de le laisser à bord ! objecte Antoine.

Il se rapproche de Yann, imité par les hommes qui fouillaient les hangars bâtis au bord de la jetée.

– Je l'utilisais pour alimenter ma ponceuse électrique ! vocifère Yann. Je l'avais caché sous des chiffons, au fond d'un coffre fermé à clé, ces salopards l'ont fracturé !

Comme la plupart des marins du coin, Yann doit retaper sur la plage l'embarcation avec laquelle il emmène sa famille flâner à l'île aux Oiseaux, le dimanche.

Yann a la voix qui tremble de colère. Il serre les poings, tourne autour d'une coque de noix jaune et vert agrémentée d'une petite cabine en forme de pagode chinoise. La serrure de la porte est brisée, les huisseries arrachées.

L'assistance compatit. Antoine prend Yann par l'épaule :

– Un bon coup de rabot, et on ne verra plus les dégâts ! Et je te prêterai mon groupe électrogène, si tu veux...

– Il faut en vendre, des huîtres, pour gagner neuf cents euros, se lamente Yann d'un ton sourd.

– Au moins tu peux travailler, on ne t'a pas piqué le moteur de ton chaland, le console Antoine.

– Il est rincé, mon vieil Evinrude, il n'intéresse personne, bougonne Yann, le dos voûté.

– Garde-le, surtout, je connais un gars de L'Herbe à qui les manouches ont volé un Yamaha de cent vingt-cinq chevaux flambant neuf !

Des ostréiculteurs qui circulaient aux alentours de Piraillan reviennent bredouilles : les voyous qui sévissent sur la presqu'île se sont envolés au nez et à la barbe de leurs poursuivants, une fois de plus…

Tous quittent la grève et reprennent le chemin du village à pas lents. Je m'insère dans le cortège qui piétine sur le parapet. Jouant des coudes en direction d'Antoine, je me cogne à Julie qui me dit qu'elle a convaincu sa mère de venir aux nouvelles.

– Où est papa ? ajoute-t-elle, inquiète. Il y a eu de la bagarre ?

Je lui montre son père en grande discussion avec Yann et Cathy sous un hangar, et je lui résume les faits. Elle paraît soulagée que l'incident n'ait pas dégénéré en règlement de comptes sanglant. Je la dévisage, éberlué : qui pourrait envisager de se livrer à une chasse aux enfants ? Ce sont des gosses qui furètent le soir sur la grève, pas des gangsters armés !

– D'après les gendarmes de Piquey qui cherchent depuis des mois à les arrêter, il y aurait des adultes à leur tête, réplique-t-elle calmement.

Je songe à un reportage de Sabine sur les petits mendiants de Bombay, des orphelins qui sont privés de nourriture quand ils ne rapportent pas d'argent aux adultes qui les exploitent.

–- Dans le film de ma mère, on voyait le patron d'un gang de mendiants, un énorme Hindou huileux et couvert de bijoux, sortir

d'une Mercedes et tabasser un gosse estro-
pié, c'était immonde !

Mademoiselle-je-sais-tout m'écoute avec
attention. Elle veut savoir où se trouve
Bombay.

– C'est le centre financier de l'Inde, une
mégalopole de vingt millions d'habitants.

Elle hoche la tête, impressionnée. Puis
elle se ravise et m'assène d'un petit ton pète-
sec que je l'embrouille, avec mes histoires.
Ce n'est pas en remontant jusqu'aux sources
du Gange que l'on découvrira l'origine
des trafics qui se produisent sur le bassin
d'Arcachon !

– Le Gange ne coule pas à Bombay, Julie.

Et toc, ça lui apprendra !

Elle tourne les talons et appelle son
schnauzer qui levait consciencieusement la
patte sur chacune des annexes posées
contre le muret. Quel idiot, j'aurais dû la
boucler ! J'hésite à formuler de vagues
excuses, trop tard, elle a déjà disparu à
l'angle d'une ruelle.

Je m'avance vers Cathy et Antoine qui discutent toujours avec leurs voisins. Je les remercie pour la soirée.

— La soirée, elle se termine en eau de boudin, s'attriste Antoine. Je te ramène chez toi en voiture, petit.

Il a l'air fatigué et tendu. Je lui objecte que je serai rentré en cinq minutes.

Je m'éclipse avant qu'il n'insiste et je lui crie de saluer sa fille de ma part.

— Ne te tracasse pas pour mademoiselle Oursin, elle pique d'abord et se rétracte ensuite ! glousse Cathy.

Même si elle a raison, je ne comprends rien aux femmes, pas plus à ma mère qu'à mademoiselle Oursin...

3

Je m'éveille vers dix heures du matin, les narines chatouillées par une forte odeur de brûlé qui monte de la cuisine. Saisi d'une quinte de toux, je bondis hors de mon lit, j'ouvre la fenêtre de ma chambre et je me rue dans la cage d'escalier envahie par des tourbillons de fumée noirâtre :

– Maman, il y a le feu, maman, vite, il faut sortir de la maison !

Je la découvre au rez-de-chaussée, face à l'évier, en train de se bagarrer avec le grille-pain en flammes. Elle arrache la prise de courant et ronchonne qu'elle n'est vraiment pas douée pour les tâches ménagères.

Des œufs, du bacon, un pain de mie et des oranges sont posés sur le comptoir, entre le presse-agrumes et une poêle à frire : elle cherche à m'amadouer pour se rattraper de m'avoir largué hier au soir. Comme je n'ai aucune intention de lui faciliter la tâche, je lui assène d'un ton exaspéré :

– Personne ne prépare le petit déjeuner le téléphone vissé à l'oreille.

– Le boulot, toujours le boulot... J'ai reçu un coup de fil de...

– Du pape ou de la reine d'Angleterre, je connais le refrain ! Inutile de te fatiguer, j'ai mangé comme quatre chez Antoine et Cathy.

Son visage s'assombrit. Elle fixe les provisions qu'elle a achetées ce matin de bonne heure au marché du Cap-Ferret. Elle soupire d'un ton rauque :

– Et moi qui me faisais une fête de

prendre le petit déjeuner avec toi ! Enfin, tant pis... C'était sympa, ta soirée ?

– Extra ! Et la tienne ? Tu es rentrée drôlement tard...

– Non, vers minuit...

– Deux heures. Je ne dormais pas, j'ai entendu la Méhari dans l'allée, les freins grincent.

J'ai lancé ça au hasard. Et tapé en plein dans le mille puisqu'elle reconnaît :

– Tu n'as pas toujours la vie facile avec moi, mon pauvre chou...

La figure renfrognée, je me drape dans un silence hautain tout en versant deux cuillères à soupe de Nesquik au fond de mon bol. Elle me scrute d'un bref regard et pose la main sur mon bras :

– Si on allait s'empiffrer de chocolatines à la terrasse de Frédélian ? Il fait beau, ce matin.

Impossible de refuser, Frédélian est l'un des meilleurs pâtissiers de la presqu'île ;

il y a près de cinquante ans que des généra-
tions de vacanciers défilent dans ce temple
de la gourmandise en se pourléchant les
babines.

– Moi, j'adore leurs macarons à la fraise
et leurs éclairs au café !

– Alors, en avant pour l'indigestion !
poursuit maman d'une voix pleine d'entrain.
On sautera le repas de midi, si besoin est !

Ce ne serait pas une première. Je m'abs-
tiens d'en faire la remarque car je n'ai pas
le cœur à gâcher cette belle journée de
printemps par une dispute de chiffonniers.

Attablé devant la montagne de pains au
chocolat (ou chocolatines) qui s'entassent
sur le guéridon, je relate à maman les évé-
nements de la nuit précédente. Je caresse le
vague espoir de piquer sa curiosité profes-
sionnelle : qu'elle se décide à faire un
reportage sur le gang des pirates, et Julie
me regardera d'un œil neuf ! Je déchante

quand elle murmure, tout en parcourant les titres des quotidiens français et étrangers qu'elle épluche chaque matin :

– Le gang des pirates ! En voilà une histoire pour des morveux qui volent de l'outillage !

– Des bateaux de tourisme, maman. Le dernier qui a disparu était un Cap-Camarat de huit mètres équipé de deux moteurs de cent soixante-quinze chevaux chacun... À l'état neuf, un engin pareil, ça vaut la bagatelle de cinquante mille euros !

Elle sursaute :

– Qui t'a raconté ça ?

– Antoine. Il en connaît un rayon à ce sujet, tu ne crois pas ?

Je brode – Antoine n'a jamais prétendu que les vols portaient sur des embarcations de ce genre. Cette nuit, en attendant que ma fugueuse de mère regagne sa chambre sur la pointe des petons, je me suis connecté à Internet et j'ai déniché des renseignements sur un site de marine de plaisance, histoire de corser mon propos. Maman mord à l'hameçon. Elle déclare, l'air pensif, que les gosses servent sans doute d'écran à une filière clandestine. Je la coupe avec enthousiasme :

– C'est comme dans ton film sur Bombay où le patron du gang des mendiants était lié à des brutes qui enlevaient des enfants pauvres et les estropiaient pour attendrir les passants. On pourrait...

– On pourrait terminer nos vacances sans se monter le bourrichon, interrompt maman qui replie nerveusement son quotidien et m'épie par-dessus ses grosses lunettes.

J'arbore une mine offusquée, elle poursuit :

– Ne va pas jouer les Rouletabille, hein, Fred !

– Le détective du *Mystère de la chambre jaune* ? Quel rapport avec moi ?

– Il n'arrête pas de se fourrer dans le pétrin et quand on lui presse le bout du nez, il en sort du petit-lait !

Vexé, je proteste que j'aurai quinze ans en octobre.

– Peu importe, Frédéric, si les gendarmes se cassent les dents sur cette affaire, ce n'est pas toi qui t'en mêleras pour épater une mademoiselle Oursin qui m'a tout l'air d'avoir mérité son surnom, soit dit en passant !

– Je me fiche éperdument de Julie.

– Génial ! Alors, au programme de la semaine, planche à voile, bicyclette, promenades en Chorizo et pêche à la palourde. OK ?

Je lève les yeux au ciel, ma mère est toujours à côté de la plaque : ou elle me dépose dans un coin comme un paquet de linge sale, ou elle me couve comme si j'avais l'âge de la barboteuse !

– D'accord, Fred ? Sinon, je téléphone à l'aéroport de Bordeaux et tu rentres à...

– Pourquoi te mettre dans des états pareils, maman ?

Des plaques rouges enflamment son visage livide, elle est prête à sortir de ses gonds. Ses colères sont célèbres, dans les milieux de la télé, où ses collaborateurs se plaignent d'encaisser des savons mémorables pour une simple erreur commise au montage d'un de ses films, mais là, il n'y a aucune raison de s'affoler. Je profite donc de son silence interloqué pour enfoncer le clou :

– Relaxe, on est en vacances !

Elle ébouriffe mes cheveux et m'expose d'un ton radouci :

– Une journaliste est bien placée pour savoir que le malheur frappe au moment le plus inattendu. La preuve, tu as failli te noyer, l'autre jour.

– Et aujourd'hui, je vais claquer d'une overdose de chocolatines grâce à toi !

Une lueur amusée glisse dans son regard :

– OK, c'est ridicule de se monter comme ça... Promets-moi d'être raisonnable et n'en parlons plus.

J'éclate de rire et je cogne mon index contre son front :

– Toc toc toc, tête de pioche ! Tu as de la suite dans les idées, toi alors !

4

Je n'ai besoin de personne,
Quand je glisse sur les rouleaux,
Je ne reconnais plus personne
Sur ma planche au milieu de l'eau !

P arodiant un vieux tube de Gainsbourg sur les balades en Harley Davidson, j'ai passé un après-midi super-cool à jouer à saute-mouton sur l'océan, aujourd'hui. Le soleil était tiède, une brise aigrelette poussait vers le rivage des rouleaux comme je les aime, longs, réguliers, pas vicieux pour un sou. J'ai même fait un concours d'endurance avec trois autres planchistes, des lycéens en seconde au lycée Montaigne à Bordeaux. C'est dommage qu'ils s'en aillent demain matin car j'aurais bien aimé les revoir. Ça prouve au moins qu'il n'y a pas que des pimbêches comme Julie, sur la presqu'île !

Au crépuscule, tournant le dos à l'océan, j'ai escaladé la dune et récupéré mon vélo à l'entrée d'un des chemins forestiers qui traversent le Cap-Ferret sur ses trois kilomètres de largeur. J'adore me balader en bicyclette, pieds nus, ma planche sous le bras, au milieu de la pinède : quand on ne fait pas de bruit, on y voit quelquefois flâner des chevreuils. C'est un paradis, ici. Dommage que je n'aie personne avec qui échanger mes impressions...

Absorbé par mes pensées, je roule jusqu'à la cabane d'Antoine au lieu de rentrer chez moi. J'irais bien le saluer, mais je ne vois pas sa vieille Twingo flapie. Julie pourrait me dire à quel moment il rentre de son travail... mais à l'idée d'affronter

mademoiselle Oursin, mon moral dégringole dans mes chaussettes : elle va encore
m'examiner de haut en bas comme si
j'étais un virus foudroyant, et elle un
savant planté derrière son microscope.
Mieux vaut déguerpir, sinon elle croira
que je la drague !

J'enfourche ma bécane, je fonce jusqu'à
Grand-Piquey. Une fois là, je quitte la
départementale de Bordeaux, et je bifurque
à droite, côté bassin, dans une rue qui
mène à un ponton en bois doublé d'une
rampe inclinée servant à mettre les bateaux
à l'eau. À la belle saison, il y a un trafic
incessant de camionnettes et d'embarcations de plaisance, ici. Ce soir, je ne vois
qu'un 4 × 4 Hyundaï noir, arrêté au beau
milieu de la chaussée, à une dizaine de
mètres de la rampe. Le week-end de Pâques
est fini, les rares vacanciers qui naviguent
en dehors de la période estivale ont quitté
la presqu'île.

Je pose ma bicyclette contre le mur d'une villa et, longeant la haute armature en bois du ponton, je m'avance sur la plage pour observer les navires amarrés près du bord. Je dénombre deux pinasses, un dériveur, quelques grosses barques en métal et des petits canots en plastique. Tous appartiennent à des gens du cru. En revanche, je n'aperçois aucun bateau de plaisance, genre voilier, catamaran ou hors-bord... Ah si, tiens, il y a un joli Flyer bleu et blanc de cinq mètres soixante-dix qui tangue sur les flots, au ras du chenal. Avec ses lignes étirées et sa coque en aile de mouette, ce modèle sans cabine est idéal pour faire du ski nautique ou traverser le bassin à fond les manettes. Antoine dirait qu'il est destiné aux Kékés, aux marins d'eau douce qui vont se dorer la pilule sur le banc d'Arguin, face à la dune du Pyla. Mais Antoine n'est pas mon père, après tout...

Un point de lumière blanche se réverbère sur la vitre du Flyer 5.70 éclairée par le soleil couchant. Aveuglé, je détourne la tête et je remarque un grand costaud brun d'une trentaine d'années planté sur le rivage, de l'autre côté du ponton et de la rampe de mise à l'eau. L'homme est à une cinquantaine de mètres de moi. Il a les cheveux noués en queue-de-rat. Il étudie le Flyer 5.70 à la jumelle : c'est sans doute un promeneur venu, comme moi, à Grand-Piquey admirer les navires car il y en a beaucoup et de fort beaux, ici, au mois d'août... Sauf que nous sommes en avril. Et que ce type-là n'a pas l'allure d'un touriste lambda, avec sa grosse canadienne élimée, ses bottes achetées dans des surplus militaires, ses longs cheveux gras et la cicatrice violette qui lui barre le menton... Il fait une dizaine de pas en arrière et échange quelques mots avec un gars qui se tient embusqué sous le portail d'une villa. Le deuxième larron a des yeux de fouine, un visage grêlé, et il est d'une maigreur si maladive qu'il a tout du squelette. Instinctivement, je me cache derrière l'un des piliers en bois du ponton : ces deux-là ont une drôle de dégaine, heureusement que j'ai eu la bonne idée de descendre sur la plage en contournant la jetée dont la lourde ossature m'a dissimulé à leurs regards.

Quelqu'un tousse, derrière les deux inconnus. Je cligne des paupières, dans la lumière grise du crépuscule, et je distingue un blond trapu, genre boxeur poids léger, qui s'écarte de ses copains pour pianoter un numéro sur son portable. Il s'avance machinalement dans ma direction et déclame d'une voix forte, sans se douter que le port de Grand-Piquey est un lieu fréquenté par les pêcheurs et les professionnels de la mer qui risquent toujours de venir s'y affairer, même lorsque les abords en paraissent déserts :

– Sid ? Ben à l'appareil. Un Flyer 5.70 construit en 2005, moteur Suzuki de cent vingt-cinq chevaux, trente mille euros à l'argus... Mais non, c'est pas un plan nul, il a une cote d'enfer, cet engin ! Nan, mec, un grand pneumatique, comme le Zodiac Pro de neuf mètres cinquante, on n'en trouve que l'été... Tanger, tu me gonfles à me parler sans arrêt de Tanger... Bon, dommage, à plus, Sid !

Pendant qu'il s'échinait à convaincre son interlocuteur, j'ai senti la panique m'envahir à l'idée qu'il contourne le pilier derrière lequel je me suis accroupi. J'ignore ce que manigancent les trois compères, mais ils ont largement passé l'âge de siphonner de l'essence dans les réservoirs ou de piquer de l'outillage, comme le font soi-disant les enfants des Gitans !

Alors que le gars qui s'appelle Ben range son mobile dans la poche intérieure de son blouson, il me semble voir un cou-teau de chasse briller contre la doublure en soie noire du vêtement. Je tâche de me convaincre que j'ai eu la berlue, pourtant la nausée me dessèche la bouche, ce salopard serait du genre à m'étriper si, par mal-chance, il découvrait ma présence !

Je relève les yeux et j'avise une grosse pinasse échouée sur la grève, à un jet de pierre du ponton. Rampant lentement sur le sable, comme un crabe, je me faufile dans la cabine. Ouf, me voilà un peu plus en sécurité, la coque de l'embarcation me rend invisible, tandis que moi, je peux mater les zozos à travers les vitres du poste de pilotage. Ben est allé s'asseoir en haut de la rampe inclinée, à quelques mètres au-dessus de ma tête ; il lance, toujours aussi fort, à ses acolytes :

– C'est râpé pour le Flyer. On roule jus-qu'au port flottant de La Vigne, voir s'il y a des affaires à glaner ?

– Non, la station d'essence et les restau-rants attirent trop de monde, objecte le grand costaud qui s'est rapproché de Ben. Il est plus capricieux qu'une gonzesse, cet enfoiré de Sidi ! Qu'est-ce qu'il a, encore ?

– Il a ses nerfs ! Tout le monde lui réclame des pneumatiques à grands cris, alors ça l'exaspère de rater ses ventes.

– C'est pas la saison, il me gave, le Rebeu, maugrée le Squelette.

– Ah, ne recommence pas à le traiter de sale Arabe, hein ! s'énerve Ben ; il se relève, les poings serrés.

– Toi, t'es un Feuj minable et lui, une raclure de Rebeu, c'est kif-kif bourricot, postillonne le Squelette qui agrippe son adversaire par le haut de son survêtement.

Ils vont s'étriper, ces deux abrutis ! Je me réjouis de compter les coups, manque de chance, le grand costaud les sépare d'une bourrade :

– Vous allez rameuter le village ! Bouclez-la, ou je vous assomme et je vous enferme dans le coffre du Hyundaï.

– Tout doux, le Tank, du calme, modère Ben.

Le Tank a des poings comme des enclumes et l'allure massive d'un char Leclerc, son surnom est une vraie trouvaille !

Ben et le Squelette ont cessé de s'injurier. Un silence maussade s'installe.

Le Tank déclare :

– Sid est un malhonnête, il s'en met plein les poches et nous paie une misère, ça ne peut plus durer.

– T'as raison, c'est un serpent, ce type, on devrait le sortir du jeu et traiter nous-mêmes avec le boss, renchérit le Squelette.

– Vladimir ? Il ne vient jamais en France, riposte Ben.

– Tu l'as déjà vu ? insiste le Tank.

– Non, il voyage sans arrêt pour son boulot, Moscou, Dubrovnik, Istanbul, la mer Noire...

– Mouais, ce n'est pas la porte à côté, maugrée le Squelette qui fait volte-face et se dirige vers le 4×4 Hyundaï planté en pleine rue, à l'aplomb de la jetée.

Les deux autres s'apprêtent à lui emboîter le pas. Je sors mon Nokia de la poche de mon jean et, avant qu'ils ne m'aient complètement tourné le dos, je les photographie de profil et de trois quarts arrière, à travers le vitrage de la pinasse.

Ébloui par mon flash, Ben sursaute, s'arrête et balaie les abords du ponton d'un regard méfiant.

Je me recroqueville dans le cockpit. Mon cœur bat la chamade, je n'aurais jamais dû prendre ces clichés, c'était trop risqué !

– On nous surveille, affirme Ben.

Ses yeux d'un vert glacial glissent sur le hublot de la pinasse. Je réprime un frisson, Dieu seul sait ce qu'il me ferait subir s'il descendait fouiller la cabine ! Heureusement, le Tank l'arrête en lui plaquant sa grosse pogne sur le bras :

– Tu me fatigues, avec ta paranoïa. Je serais d'avis de le chouraver maintenant, ce Flyer 5.70, la nuit tombe, il n'y aura personne sur l'eau.

Un moteur ronronne : le Squelette a mis le 4 × 4 en marche.

– La ferme, je te dis que j'ai capté un bruit bizarre, s'entête Ben.

– Bah, t'es comme Jeanne d'Arc, t'as des voix ! se moque le Tank.

– Je suis d'accord avec le Tank, on n'a pas besoin de Sidi pour faire du business, intervient le Squelette qui meugle comme s'il était seul avec ses deux complices en pleine toundra sibérienne. Moi, je fonce en 4 × 4 à la remise chercher la remorque, pendant ce temps-là, vous piquez le bateau, vous filez pleins gaz jusqu'à Gujan-Mestras et on se retrouve tous les trois sur le port de Laros...

– Et à qui tu le revends, le Flyer, bougre d'âne ? s'énerve Ben, resté sur la grève. Tu ne connais pas d'intermédiaire !

– Les fourgues, ça pullule quand on a de la bonne came à proposer, fait valoir le Tank en se dirigeant vers le Hyundaï. Alors, on vole ce bateau maintenant qu'on est peinards, on le convoie au garage avec la remorque et...

Il s'interrompt brusquement et reprend d'un ton venimeux :

– Qu'est-ce que vous foutez là, les mômes, hein, vous êtes là depuis quand ?

Je me tasse au fond du cockpit, affolé, il m'a repéré ! Mais non, il a dit *les mômes*. Et j'entends une voix féminine bredouiller :

– Rien, on se promène, c'est tout !

– Vous nous espionnez, ta copine et toi, espèce de sale menteuse !

– Non, je vous assure, m'sieu ! Laissez-nous partir, je vous en prie !

Je me redresse et je risque un coup d'œil par le hublot de la cabine : les truands se sont regroupés autour de deux adolescentes, une rousse et une blonde, qui cheminaient sur le rivage avec un jeune chien.

– On veut s'en aller, on n'a rien fait de mal !

– Tu vas me faire le plaisir de cracher ce que tu sais, petite garce ! menace le Tank.

Mon sang se glace lorsque je reconnais Julie ; elle doit fréquemment emmener son schnauzer se balader sur la plage de Grand-Piquey qui jouxte celle de Piraillan. Le Squelette exhibe un poignard et le brandit devant son visage. Julie se met à hurler.

Son amie pleure à chaudes larmes. Dominant la frayeur qui me paralyse, je m'extirpe de la pinasse et je m'époumone :

– Julie ! Attention ! Ils sont tous armés !

5

– Et d'où il sort, ce morveux ? s'emporte le Tank qui fait un pas vers moi et me toise, les mâchoires serrées.

– Attrape-le, je te parie qu'il était planqué dans la pinasse et qu'il nous a écoutés, ce petit cafard, siffle le Squelette.

Le Tank m'agrippe par les cheveux, je le frappe à la mâchoire, il grogne, me flanque une beigne qui m'arrache presque la tête ; Julie crie à son chien :

– Crapulon, attaque !

Le schnauzer aboie et se rue dans les jambes de mon agresseur qui lâche prise.

Je fais un saut de côté, le Tank se jette sur moi et me secoue comme un prunier :

– Tu ne m'as jamais vu et mes copains non plus, sinon t'es bon pour le cimetière !

– Fichez-lui la paix, espèce d'ordure ! s'indigne Julie.

Le Tank m'enfonce ses deux pouces dans la gorge. Je suffoque, je vois trente-six chandelles, mes jambes se dérobent... Heureusement, Julie glapit, derrière moi :

– Crapulon, vas-y !

La bête mord le Tank à la cuisse, l'étau se desserre, je me réfugie derrière la pinasse en titubant. Le Tank, qui jure comme un charretier, cueille le chien par les oreilles et le projette contre un rocher.

La bête roule sur le flanc, les pattes raides, Julie pousse une plainte déchirante, je la cherche du regard et je m'aperçois que Ben et le Squelette ont entraîné les deux jeunes filles sur le perron d'une villa déserte, à une cinquantaine de mètres de la pinasse ; le premier somme Julie de la boucler, le second promène la pointe de son couteau sur sa joue et jure de lui faire un petit lifting à sa manière, si elle rend visite à la flicaille. La petite blonde sanglote bruyamment. Le Tank s'écarte de moi, court vers elle et la gifle d'un revers de main :

– Toi, tu arrêtes de chialer ou je te casse les dents !

La blondinette émet un hurlement stri-dent, le Tank lui plaque sa grosse patte sur le visage, elle suffoque, lui griffe le poignet, peine perdue, il lui écrase la bouche et le nez, il va la tuer, ce taré !

Je scrute les maisons qui longent la plage, côté sud, vers Piraillan : elles sont vides, leurs propriétaires sont rentrés à Paris, rien à espérer de ce côté-là. Télépho-ner... Non, les gendarmes arriveraient trop tard ! Et si j'allais chercher du secours au village ostréicole de Grand-Piquey, situé à deux cents mètres au nord de la jetée ? Trop long : tambouriner aux portes et convaincre des gens de me suivre prendraient quelques minutes, or c'est dans la seconde qu'il faut agir ! Pris de panique, je me traite d'empoté à voix haute : « Tu as intérêt à te remuer, grouille-toi ! »

J'avise soudain le 4 × 4, planté sur la chaussée, dans l'axe de la rampe. La portière du conducteur est restée grande ouverte. Je me précipite, j'appuie à fond sur le klaxon, je desserre le frein à main et je saute hors de l'habitacle.

Le véhicule s'ébranle. D'un coup d'épaule, j'accompagne sa descente vers le parapet incliné et je clame à pleins poumons :

– Ohé, une bagnole à la mer !

Le Tank, qui m'agonise d'injures, lâche la petite blonde ; elle fait un bond en arrière, reprend sa respiration et clopine vers Julie que Ben et le Squelette ont arrêté de malmener pour galoper vers le 4 × 4.

Les trois affreux jojos piaillent et s'agitent comme des corneilles dans la pénombre. Un rire fébrile me chatouille la gorge, en dépit du danger. Je ne résiste pas au plaisir de les asticoter :

– Dites, il est amphibie, votre Hyundaï ?

Le lourd véhicule s'immobilise en bout de piste, la calandre au ras des vagues. Le courant ne l'a pas entraîné plus loin, dommage...

Je déchante lorsqu'une tonne de muscles et de graisse me charge avec fureur – le Tank a l'air de vouloir me réduire en charpie !

Je file vers ma bicyclette, l'enfourche, je sens le souffle brûlant du Tank sur ma nuque...

– Tu vas le payer, morpion !

Je me dresse sur les pédales, un tour de roues, deux, trois, la bicyclette attaque la côte...

Des doigts griffus me serrent le cou, il va vraiment m'étrangler cette fois-ci...

Une clameur lugubre résonne soudain, sur la plage – Julie hurle à s'en casser les cordes vocales. Surpris, le Tank relâche son étreinte. Je m'arc-boute sur le guidon, je décolle, le Tank cavale dans mon sillage, ses ongles éraflent mon bras, je force l'allure, l'écart se creuse... Julie gueule toujours à réveiller les morts. Le Tank fait volte-face et va secourir ses compères qui pataugent dans la flotte auprès du 4 × 4.

– Fissa, les gars, les gens du coin vont nous tomber dessus ! lance-t-il.

Je continue à pédaler en danseuse jusqu'au croisement avec une rue parallèle à la plage. Obliquant sur ma gauche, je perçois les rugissements d'un moteur dans mon dos : les trois loubards sont en train de gravir la rampe en marche arrière, mieux vaut ne pas m'attarder dans le secteur ! Je mets toute la gomme pour escalader une côte de trois cents mètres, puis je vire une deuxième fois à gauche, dans un petit chemin qui me ramène vers le bassin. Une fois au bout de ce sentier, je dissimule ma bicyclette derrière un taillis. Les muscles en flanelle, le souffle court, je me faufile dans la broussaille jusqu'à un escalier en bois que les promeneurs empruntent afin d'atteindre la plage, trente mètres plus bas.

Du haut des marches, j'examine la grève en restant prudemment à l'abri d'un massif de mimosas : le Hyundaï a disparu, les filles aussi. Où diable ont-elles pu aller ? À Grand-Piquey, donner l'alerte ? À moins que les trois tordus n'aient réussi à les pousser dans le 4 × 4 au moment de se carapater ?

L'angoisse me tord les entrailles. J'égrène une série de jurons, quelqu'un chuinte sur ma gauche :

– Psst ! Frédéric...

Une tête hérissée de cheveux roux surgit au-dessus de la clôture d'une propriété située en retrait de l'escalier.

– Julie ! Ça va ? Où est ta copine ?

Elle s'efforce de me répondre, mais un gros sanglot lui noue la gorge. Elle pose la main sur sa poitrine, inspire à fond et enchaîne :

– Ici, dans une remise à outils dont la porte n'était pas cadenassée. Elle n'ose plus en sortir, elle est morte de trouille !

– Tu parles ! Et moi donc ! J'ai failli vomir sur mes baskets !

Sa frimousse piquée de taches de rousseur s'illumine d'un sourire espiègle ; elle a de jolies quenottes pointues qui lui donnent l'air d'un renard des sables.

– Confidence pour confidence, Katia n'a rien gardé de son déjeuner !

– Vous aviez compris qu'ils projetaient de voler le Flyer ?

Julie opine du chef :

– Même un sourd les aurait entendus beugler, ces crétins, ils doivent penser que les habitants du Ferret se couchent avec les poules !

Un fou rire nerveux nous assaille avec la violence d'une bourrasque. Julie glousse, je m'étrangle et je tousse, une cascade d'aboiements survoltés s'échappe d'un bosquet touffu.

– Crapulon, fais le doux, c'est Fred !

Le schnauzer déboule en grondant, les babines retroussées sur ses crocs, le poil hérissé, puis il m'identifie et se fige, une patte en l'air, la truffe au radar. Il vocalise sa joie de me revoir et il s'approche de la barrière d'un petit trot dansant. Je plonge vers lui et je le caresse :

– Salut, crapule ! Je croyais que le Tank t'avait cassé les reins, mon bonhomme !

L'animal couine de plaisir et me mordille les doigts. Julie me dit qu'il a juste récolté une bosse à la base du crâne.

Une voix tremblante s'élève derrière Julie :

– Taisez-vous, s'ils traînaient encore dans les parages !

Une ombre d'épouvante ternit les yeux verts de Katia. Elle a le teint crayeux, un tic lui déforme la bouche. Ses boucles blondes, terreuses, mêlées de varech, lui cachent la moitié du visage. L'agression paraît l'avoir plus éprouvée que Julie. Je coule un regard inquiet à celle-ci qui s'empresse de répondre :

– Fred les a vus s'engager sur la départementale dans la direction de Bordeaux, ils s'imaginent que nous avons averti la police et qu'elle est à leurs trousses !

C'est un pieux mensonge, mais comme il paraît rassurer Katia, j'abonde dans le même sens. Je propose à la petite blonde de croquer un morceau de sucre imbibé d'alcool de menthe. Ses traits tirés s'éclairent d'une lueur malicieuse :

– Ce remède de bonne femme figure dans la panoplie de Superman ? Je rêve !

Superman, elle n'est pas avare de compliments, la ravissante Katia ! Le rouge au front, j'avoue que ce traitement me remet d'aplomb lorsque j'ai les muscles en compote après avoir passé cinq ou six heures debout sur ma planche, à me bagarrer avec l'océan. Katia me contemple, béate d'admiration, Julie se place entre elle et moi et me tend les bras :

– Tu m'aides à escalader la clôture, Fred ?

Tiens, tiens, on dirait que mademoiselle Oursin n'aime pas voir Katia me faire les yeux doux ! En vérité, Julie s'attarde une seconde contre mon torse et me chuchote à l'oreille :

– Merci, Fred, tu nous as évité de gros ennuis !

– Et toi ? Tu n'as pas envoyé ton chien à mon secours ?

Julie s'empourpre. Je lui serre brièvement les doigts :

– Eh bien, nous sommes quittes.

6

Les filles remises de leurs émotions, je leur révèle que les agresseurs appartiennent à une filière de trafiquants dirigée par un mystérieux Vladimir qui voyage sans arrêt entre Moscou et Istanbul.

– Alors, nos voleurs sont des Russes ou des Turcs et non des Gitans ? s'étonne Julie.

– Je ne pense pas que Sidi, l'interlocuteur de Ben, soit turc. J'ai cru comprendre, à une allusion au téléphone, qu'il se rendait souvent à Tanger.

– Sidi serait donc d'origine marocaine, souligne Katia. Et Ben ?

– Je ne sais pas. Le Squelette a traité l'un de Feuj et l'autre de Rebeu.

Julie et Katia, qui ignorent tout du vocabulaire des grandes villes, échangent un regard perplexe. Je leur explique :

– Les Juifs s'appellent entre eux les Feujs et les Beurs les Rebeus.

– C'est un code ? s'enquiert Katia.

– Ou une injure, tout dépend du contexte. Dans la bouche du Squelette qui a fourré Ben et Sidi dans le même sac en les traitant de bourricots, ça n'avait rien d'amical.

– Alors ça, c'est le pompon, il est non seulement vicieux et violent, mais raciste ! explose Julie.

– Et il puait le rat mort, ce qui n'arrange rien, précise Katia.

– Ah oui ? Le Tank sentait la vinasse et le pipi de chat, relance Julie.

Elles éclatent de rire. Je les dévisage, éberlué, puis j'ajoute que les trois lascars auraient intérêt à se recycler dans la parfumerie.

– Ou dans le pompage des fosses d'ai-
sances, persifle Katia, dont les joues blêmes
se sont fardées d'une touche de rose.

Nous rentrons à Piraillan en empruntant
la route de Bordeaux parce que, à l'inverse
de la grève, elle est pourvue de l'éclairage
municipal. Katia, épuisée, s'est assise sur
le porte-bagages de mon vélo ; je roule au
pas le long de la piste cyclable et Julie, qui
chemine à nos côtés, ne cesse de me seriner
d'appeler la gendarmerie sur mon portable.
Je n'en ai aucune envie, même si elle fait
valoir que la solidarité à l'égard des ostréiculteurs, qui redoutent que les truands ne
s'attaquent à leur outil de travail, l'exige.
Avec une certaine mauvaise foi, je bougonne que je n'ai pas noté le numéro du
Hyundaï :
– On n'a pas grand-chose à leur raconter,
aux keufs...
– Les keufs ? Tu ne peux pas t'exprimer
en bon français, mon pauvre garçon !

s'impatiente Julie avec un accent du Sud-Ouest à couper au couteau.

– Je baragouine le kéké, moi, pas le bordeluche, lui dis-je en rigolant. C'est simple, tu inverses les syllabes : les keufs, ce sont les flics.

– Et une meuf est une femme, renchérit Katia.

– Et aller à une teuf, c'est se rendre à une fête, bravo, tu as compris le principe !

– Revenons à nos moutons, interrompt Mademoiselle-je-sais-tout. Tu as pris un cliché de ces larves humaines, il me semble ?

Je lui trousse un petit compliment sur son langage châtié. Elle agite sa tête rousse de fennec et déclame, en institutrice exaspérée par une mauvaise blague de potache :

– Ça t'arrive de parler sérieusement, mon pauvre garçon ?

– Jamais après une tentative d'assassinat.

Katia ricane derrière mon dos. Julie lui décoche un regard noir et me jette :

– Tu as échappé à un meurtre et tu oses dire qu'on n'a rien à raconter aux bœufs ! Aux keufs, pardon.

Katia réclame le silence complet sur nos mésaventures.

Julie proteste que ces brutes méritent de moisir quelques années en prison.

– Si ma mère apprend que je suis allée me balader alors qu'elle m'a privée de sorties pendant toutes les vacances de Pâques à cause de mes mauvaises notes en classe, je serai dans de sales draps, gémit Katia.

– Ah oui, c'est vrai ! Comme tu viens me retrouver tous les après-midi, je croyais que la punition était levée...

– Non, j'ai chipé un double de la clef et je m'échappe par le garage dès qu'elle retourne à son travail après le déjeuner.

– C'est malin, grommelle Julie. Imagine qu'un voisin te remarque et la mette au courant !

– Tu me prends pour une gourde ? Je surveille mes arrières !

Julie fronce le museau. Elle bougonne qu'elle déteste les embrouilles de ce genre.

– Je t'en prie, insiste Katia. Que ma mère découvre le pot aux roses et je serai claque-murée tout l'été dans ma chambre. Et ensuite, je ne pourrai plus faire un pas sans l'avoir sur le dos !

– Tu as de la chance, c'est une preuve d'affection, dis-je avec amertume.

Julie m'octroie son fameux coup d'œil de biologiste examinant une cellule souche au microscope :

– Pourquoi ? Tu penses que ta mère ne t'aime pas ?

Je lui réplique que je ne sais qu'une chose : je serai renvoyé au collège tambour battant à la seconde même où Sabine apprendra que j'ai bravé son interdiction d'espionner les voleurs de bateaux.

– Elle écourterait tes vacances simple-ment parce que tu t'es trouvé au mauvais endroit au mauvais moment ? s'effare Julie.

Sa remarque m'embarrasse. Katia me sauve la mise en déclarant que nous sommes deux sur trois du même avis, ce qui contraint Julie à adopter notre position. Celle-ci proteste qu'elle aimerait au moins mettre son père dans la confidence.

Katia la rembarre :

– Secret ou pas, il avertira ta mère qui appellera la mienne et celle de Fred.

Je m'empresse de renchérir :

– Et les keufs !

– Bon, d'accord, ça va, se rend Julie. Vous êtes d'un relou, tous les deux !

Je ris sous cape : si mademoiselle Oursin emploie une de mes expressions pour dire que nous sommes lourds, Katia et moi, c'est qu'elle se laisse apprivoiser !

– La démocratie a bon dos, car la passivité, c'est le choix des lâches, nous assène-t-elle, heureuse d'avoir le dernier mot.

Notre pacte de silence conclu, nous nous séparons à l'entrée de Piraillan. Katia et

Julie obliquent à gauche vers le village ostréicole, et moi j'emprunte la direction du Réveille-Matin, situé à main droite, en haut de la dune. Je n'ai pas osé leur proposer une balade à bicyclette demain, la timidité m'a paralysé. Maudissant mes blocages, je tourne le coin de la rue et je me rends compte que mon lacet s'est dénoué. Je dégringole de ma selle et, relaçant mes baskets, je capte le babillage argentin de Katia, de l'autre côté d'un groupe de maisons :

– Qu'est-ce qu'il est beau, avec ses yeux gris et ses cheveux noirs qui lui battent les épaules !

– Tais-toi, tu parles trop fort, s'il t'entendait !

– Mais non, il est déjà loin... Alors ? Il ne te plaît pas ?

– Il a de l'acné.

Et vlan ! Qui s'y frotte s'y pique, j'avais tort de croire que mademoiselle Oursin avait baissé les armes.

– Tu exagères, Julie !

– Non, il est prétentieux. Il me tape sur le système à employer le langage des cités pour un oui ou un non, ce gosse de riche !

– Parfait, ça me laisse le champ libre, poursuit Katia.

– Ne commence pas, hein ! C'est moi qui te l'ai présenté.

Les deux filles s'éloignent en se cha-maillant. Le sourire aux lèvres, j'attaque la côte du Réveille-Matin : la deuxième partie de ces vacances de Pâques s'avère, somme toute, beaucoup plus agréable que la première !

7

Vidé par ma bagarre avec les truands, j'ai dormi comme une souche de neuf heures du soir au lendemain midi. Je viens de me lever et je déambule, hirsute, en bermuda, un bol de céréales à la main, de la cuisine à la terrasse où ma mère, miraculeusement désœuvrée, se dore au soleil, étendue sur une chaise longue, face au rivage.

– Pas de visite ni de coup de fil ? dis-je en l'embrassant.

Elle relève ses lunettes noires et m'évalue avec un petit sourire moqueur :

– Pourquoi ? Mademoiselle Oursin aurait-elle renoncé au plancton pour se mettre aux carottes ?

Je la regarde, ébahi.

– Les carottes, ça rend aimable ! raille-t-elle.

Je lui riverais bien son clou en lui révélant que Julie a quelques bonnes raisons de se montrer aimable, mais je me contente de lever les yeux au ciel et de bougonner qu'elle en fait des tonnes, avec son humour.

Elle éclate de rire, je remonte dans ma chambre, j'ouvre mon ordinateur, j'examine une carte du Bassin méditerranéen, et me voilà parti à gamberger sur les pérégrinations des voleurs de Tanger à Dubrovnik et d'Istanbul à Moscou... Et si les bateaux volés étaient reconditionnés dans des ateliers marocains, puis écoulés sur les côtes de l'Adriatique et les bords de la mer Noire – la mafia russe pilotant le trafic depuis Moscou ?

Mon imagination fertile bat la campagne, Mademoiselle-je-sais-tout dirait que je lui donne le vertige...

Ces hypothèses me fournissent un excellent prétexte pour la rappeler. Enchanté de l'aubaine, je repêche mon portable sous le traversin. Avant de pianoter son numéro, je consulte ma messagerie et je constate, déçu, qu'elle n'a pas daigné me téléphoner. Je raccroche, je cours dans la salle de bains, voir si mes boutons d'acné ont cicatrisé... Je sors de là le moral à zéro, je tournicote un moment dans la maison sans trop savoir quoi faire de ma peau et, fatigué de mes angoisses métaphysiques à propos des filles en général et de Julie en particulier, je décide d'aller m'aérer sur la plage.

Lorsque maman me voit dégringoler l'escalier qui conduit à la grève, elle me propose d'aller en Zodiac flâner sur le banc de sable situé face au village de La Vigne. Je réponds que le temps ne s'y prête pas, elle ironise, perfide :

– Le baromètre est au beau fixe, j'espère que tu as emporté ton anorak et tes chaussures de montagne !

Je tourne à gauche, vers le village ostréicole de Piraillan.

– Tu vas te frotter aux piquants de mam'zelle Hérisson, j'en étais sûre ! s'acharne maman.

Mon refus de passer la journée avec elle l'a sans doute vexée. Tant pis pour elle, ça lui apprendra à me poser des lapins à la moindre occasion !

Longeant le perré bordé de hangars qui domine le rivage, je reconnais Antoine debout sur une terrasse, près de l'un de ces bassins d'eau douce où les huîtres fraîchement retirées de la mer sont mises à dessaler. Il tend un groupe électrogène à Yann, l'ostréiculteur dont l'arcachonnais a été endommagé l'autre nuit par des pillards. Antoine m'invite à les rejoindre, j'escalade une rampe destinée aux engins de levage, il m'accueille d'une accolade bourrue et claironne que Yann a repéré les mômes qui viennent marauder dans le port.

Le feu me brûle les joues. D'une voix rauque, je m'informe :

– À quoi ressemblaient-ils ?

– Treize-quatorze ans, des têtes de fouine et le sac à dos en bandoulière comme s'ils avaient prévu de transporter du matériel volé, résume Yann.

Je fais valoir que ce sont les campeurs qui se promènent avec des sacs à dos, il se récrie :

– Pas en pleine nuit, près d'un voilier préparé pour la saison estivale !

Yann désigne une embarcation de six mètres, amarrée au-delà des parcs à huîtres. Je ne cache pas mon scepticisme :

– À part la VHS, un réchaud à gaz et des boîtes de conserve, il ne doit pas y avoir grand-chose à glaner dans le cockpit !

Yann me jette un regard furieux et me rappelle que, loin de se prélasser dans une belle villa, en première ligne du bassin d'Arcachon, ces gamins-là habitent des caravanes délabrées installées sur des terrains vagues.

Encore un qui se vexe et me traite de gosse de riche, alors que j'insinuais simplement que l'affaire des vols était plus complexe qu'il n'y paraissait et qu'elle n'impliquait pas seulement les Gitans.

– Tu te crois plus malin que les gendarmes ? s'énerve Yann. Lorsqu'ils auront comparé la tête de ces petites vermines à leurs portraits-robots, on verra qui s'est trompé.

Des petites vermines, ça commence bien, ils vont en prendre pour leur grade, ces gamins ! Comme il m'est impossible de réfuter ses dires sans passer aux aveux et m'exposer aux représailles de ma mère, je sens poindre une migraine à me taper la tête contre les murs. Je croise le regard d'Antoine qui me balance tout à coup :

– Tu as une autre théorie ?

– Moi ? Pourquoi j'en aurais une ?

– Tu nous assènes tes quatre vérités avec un tel aplomb...

– Oh, je me suis mêlé à la conversation par politesse, c'est tout...

Le regard bleu acier d'Antoine me fouille avec la précision d'un laser, un silence électrique s'installe. Yann s'empare du groupe électrogène et va le ranger dans un placard, à l'intérieur du bâtiment. Dès que nous sommes seuls, Antoine me prend par l'épaule et cherche à savoir ce qui me tracasse.

Au supplice, je bégaie :

– Mais tout va très bien...

– ... madame la marquise ! Tu me chantes le même air que ma fille qui est rentrée hier soir avec les yeux rouges et une tête de décavée !

Que répondre à une attaque aussi directe ? Comme son sourire amical me va droit au cœur, je n'ose pas mentir et je marmonne entre mes dents :

– Elle s'est disputée avec Katia à cause de moi.

– Et elles ont remis ça au téléphone ce matin à propos d'une sombre histoire de pacte...

– Bah, une petite brouille de rien du tout, ne vous inquiétez pas.

– Quand ma fille crie la nuit dans son sommeil et qu'elle se refuse à dire pourquoi, je m'inquiète, Frédéric !

Il me dévisage, soupçonneux. J'exhale un gros soupir penaud : ne vaudrait-il pas mieux parler, au cas où les lascars auraient l'intention de revenir sur la presqu'île nous flanquer une raclée ? Antoine insiste :

– Raconte-moi ce qui s'est passé hier après-midi, Fred.

– Rien de grave, je vous assure !

Je soutiens son regard tout en me persuadant que ce n'est pas faux, puisque nous sommes sortis indemnes de notre affrontement avec les trois truands.

– Vous aviez rendez-vous à Grand-Piquey ? continue-t-il.

– Oui... Enfin, pour être exact, on s'est rencontrés sur le port.

– Et ensuite ?

Bon sang, il est coriace, Antoine ! Mon père ne m'a jamais soumis à un tel interrogatoire quand j'avais des problèmes !

– Julie est mon seul enfant, Fred, ajoute-t-il, en écho à mes pensées.

– Il ne lui est rien arrivé de mal, je vous le jure.

Il me sonde un instant du regard et déclare :

– On va conclure un pacte entre hommes. À l'avenir, si tu as des ennuis, tu viens me voir.

La gorge serrée, j'acquiesce d'un signe de la tête. Nous échangeons une vigoureuse poignée de main. Antoine poursuit :

– Et tu seras responsable de Julie chaque fois que vous partirez en balade. D'accord ?

– Volontiers, mais je ne suis pas certain qu'elle veuille me revoir...

– Ah non ? coupe-t-il. Et qui déambule sur le sentier, fringuée comme pour se pavaner sur les plateaux de la Star Ac ?

Je me retourne vers le village ostréicole et j'aperçois Julie en minirobe de coton rose fluo, casquette et tennis assorties ; elle flâne nonchalamment le long des hangars goudronnés, l'air boudeur, des hublots noirs de rappeuse posés sur son petit nez. Mon estomac joue au yoyo. Je cherche comment l'aborder – coup de chance, Crapulon, qui n'a pas la rouerie d'une mademoiselle Oursin, zigzague entre ses jambes et se catapulte vers moi à toute vitesse, l'œil brillant, ses babines sombres étirées en un sourire réjoui. Je m'accroupis et je le serre contre moi :

– Salut, colonel Ronchon, dis-je, tirant sur sa barbichette noire comme du charbon. Tu promènes ta maîtresse ?

Julie, qui feignait de passer au large sans m'accorder un regard, se met à rire. Elle bifurque vers moi et me tend la joue.

Des effluves de violette, d'ambre et de miel me picotent les narines. Antoine a raison, si elle s'est pomponnée, ce n'est pas pour s'attirer les faveurs de cette petite crapule à pattes qui serait plutôt portée sur les carcasses de crabe et les pipis de chienne.

– Hum, tu sens bon...

– Tu aimes ?

– Oui, beaucoup ! Bien dormi ?

Quel idiot, elle a cauchemardé toute la nuit ! Il est vrai que je ne suis pas censé le savoir.

– Couci, couça.

– Oui, tu as les yeux battus et une mine de papier mâché.

Elle se cache la figure dans les mains et gémit qu'elle est laide à pleurer.

– Ah non, bien au contraire !

Antoine me gratifie d'une bourrade sur l'épaule et s'éloigne. Une fois à l'angle du chemin qui le ramène chez lui, il me crie :

– N'oublie pas notre accord, hein, Fred ?

– Je n'ai qu'une parole, soyez tranquille !

8

– On peut savoir ce que vous complotez, mon père et toi ? s'émeut Julie.

– Des plans que les filles détestent, genre foot à la télé devant une bière.

– Mon œil ! Papa n'aime que le rugby !

– Moi de même.

– Alors ?

Je la taquine :

– Tu es curieuse comme une petite chatte. Je vais t'appeler mon chaton roux en tutu rose.

Son teint se colore, derrière ses hublots d'héroïne de polar. Elle s'exclame, avec son accent inimitable :

– Tu es fou, mon pauvre garçon !

Sauf qu'elle n'a pas vraiment l'air fâchée, la belle Julie. Tout au plaisir de l'instant, nous cheminons sur le rivage. Lorsque je la vois bâiller à se décrocher les mâchoires, je lui propose, saisi de remords, de déballer notre affaire à Antoine.

Elle hésite, affirme que Katia n'apprécierait pas cette trahison.

– Tu n'as pas fermé l'œil de la nuit ! Tu as peur que les truands cherchent à se venger ?

– Mais non, ça va !

– Tu as mangé au moins ?

Avec une grimace de dégoût, elle assure qu'elle serait incapable d'avaler ne serait-ce qu'une bouchée.

Soucieux de respecter la promesse que j'ai faite à son père, je m'obstine :

– Parlons à ton père, Katia se débrouillera avec sa mère, après tout !

– Je ne peux pas lui faire un tel coup bas, c'est ma meilleure amie ! Et puis je tiendrai le choc, promis, juré !

Son sourire enjôleur balaie mes derniers scrupules. Du reste, elle conclut d'un ton catégorique :

– Le Tank et ses complices doivent penser que nous avons porté plainte, ils ne réapparaîtront jamais ici.

– Tu as raison, ils iront sévir sur la côte basque, c'est plus près de Tanger et moins risqué pour eux !

Arpentant la grève en direction du sud de la presqu'île, nous arrivons à la hauteur du Réveille-Matin. Je m'apprête à y entraîner Julie pour boire un Coca Light ; elle s'arrête près du Chorizo appuyé à la volée de marches qui conduisent à une première terrasse puis, quelques mètres plus haut, à la maison elle-même et au jardin. Elle me lance :

– Tu cherches à exciter la convoitise des pillards ?

– N'exagérons rien, il y a une chaîne qui le retient à la rambarde de l'escalier !

Je gravis les deux ou trois premiers degrés, elle me traite d'inconscient. Elle reste obstinément plantée en bas de la villa. Je devine que la perspective de rencontrer Sabine en chair et en os l'intimide.

– Ma mère n'est pas un alien, tu ne cours aucun danger !

Elle pique un fard, j'ai visé juste. Je lui assure qu'elle a peu de chance de croiser maman, qui a interrompu sa séance de bronzage sur la terrasse et s'est emmurée dans son bureau bunker, où, telle Kali, la déesse hindoue aux multiples bras, elle zappe d'une chaîne d'infos télévisées à l'autre, envoie des SMS incendiaires à ses assistants, rédige un article, consulte la messagerie de son ordinateur – le tout en discutant avec l'un ou l'autre des envoyés spéciaux de la chaîne à Dubaï, Pékin ou Brasilia, histoire de vérifier la pertinence des faits qu'elle veut traiter.

J'en rajoute des louches, bien sûr ! Mon

numéro n'a aucun effet sur Julie qui me cloue d'une remarque rêveuse :

– Mon pauvre garçon, je te plains...

Impossible de savoir si elle me plaint d'être aussi baratineur ou de partager le quotidien d'un monstre sacré. Elle perçoit ma gêne et change de sujet :

– J'aimerais l'essayer, ce Chorizo !

Flûte ! Et dire que j'ai envoyé ma mère aux pelotes quand elle m'a proposé un après-midi de farniente et de baignade sur les bancs de sable ! Impossible de lui avouer que je préfère m'y rendre avec Julie. Je sonde celle-ci, histoire de gagner du temps :

– Où veux-tu aller ?

– Pas très loin, la marée va bientôt redescendre...

Les fenêtres de Sabine sont orientées au sud-est. Je désigne le nord de la presqu'île, en espérant que, absorbée par son travail, ma mère ne portera pas les yeux vers le fond du bassin :

– Je connais une crique tranquille à la lisière du bois communal des Jacquets. Tu as un maillot de bain sur toi ?

Julie opine du chef. Je m'avise qu'elle n'a pas de chandail et qu'il fait frisquet sur l'eau à Pâques, lorsque le ciel se couvre. Je galope dans ma chambre, repêche deux cardigans sous mon lit, je file à la cuisine prendre un magnum de Vittel, des biscuits et une tablette de chocolat. Retenant ma respiration, je double à pas de loup la porte de l'antre maternel d'où monte le ronronnement d'une imprimante et je dégringole jusqu'au rivage où Julie s'escrime à traîner le Zodiac au bord de l'eau.

– Attends, je vais t'aider !

Elle prétend que le Chorizo est beaucoup plus facile à manœuvrer que la lourde barque de son père. Je maintiens le Zodiac dans le courant, elle ôte ses sandales et s'installe sur le banc central. Crapulon, qui s'est rué dans notre sillage et brasse l'écume des quatre pattes, glapit comme un forcené. Avec un coup d'œil inquiet vers les fenêtres de maman, je l'empoigne par la nuque, je le dépose à l'avant du bateau, je grimpe à l'arrière, à côté du Honda, et je m'écarte du rivage à la rame.

– Pourquoi tu ne lances pas le moteur ? s'étonne Julie qui me regarde faire.

J'invoque l'habitude, Julie questionne, méfiante :

– Tu sais t'en servir, au moins ?

Froissé, j'actionne le démarreur en l'accusant de me prendre pour un Kéké. Elle glousse, j'accélère l'allure, le Chorizo bifurque au ras des parcs à huîtres, entre deux rangées de piquets qui délimitent un passage vers le chenal de Grand-Piquey. Je m'avise soudain que, dans ma hâte à m'éloigner du Réveille-Matin, j'ai oublié de vérifier le niveau du réservoir d'essence. Quant au jerricane de rechange dont tout marin prudent doit se munir, il trône sur une étagère de la remise à bateaux, tu parles d'une andouille ! Je m'apprête à retourner à terre réparer cet oubli, mais Julie s'étire, lève sa frimousse vers le soleil, ferme les yeux et me susurre d'une voix admirative :

– Tu le pilotes comme un chef, ce Zodiac !

Sensible à la flatterie, je fanfaronne :

– Un gamin de six ans y arriverait, il n'y a pas de clapot aujourd'hui...

– Une journée radieuse, approuve Julie qui m'adresse son plus beau sourire.

Elle s'allonge au fond du youyou, la nuque appuyée au rebord, le bras pendant au fil de l'eau. Avec un jappement joyeux, Crapulon vient se nicher auprès d'elle ; les oreilles dressées, son museau rectangulaire pointé vers l'avant, il observe le paysage qui défile alentour.

– C'est un vrai guetteur, ton chien !

Elle me raconte qu'il arrive à l'animal de sauter dans les vagues lorsqu'il voit une mouette voleter au ras de l'écume.

– Quel voyou, tiens-le bien serré par son collier ! dis-je en riant.

Le Zodiac double le port de Grand-Piquey. Je coule un regard circonspect vers la jetée et constate, non sans une pointe de soulagement, qu'elle est déserte : les affreux jojos ont dû rallier Biarritz, le Portugal ou l'enfer à bord de leur Hyundaï car la voie est libre.

– Dans dix minutes, on se baigne, Julie !

Elle ne répond pas : terrassée par le manque de sommeil, elle s'est endormie comme un bébé, la bouche entrouverte.

Le Chorizo contourne le bec sableux qui marque la fin de la plage de Grand-Piquey. J'aborde l'anse de la Pointe-aux-Chevaux, le moteur à bas régime, pour ne pas réveiller Julie qui doit rêver à son prince charmant puisqu'elle sourit aux anges...

Soudain Crapulon se dresse, tourne la tête vers l'arrière du bateau et se met à gronder.

– Chut, bonhomme, ta maîtresse dort...

Le chien pivote, me bouscule, se glisse sous mon bras et, les pattes antérieures posées sur le bord du Zodiac, module un grognement ininterrompu, ses babines noires étirées sur ses longs crocs.

Je rattrape la barre que j'avais lâchée et, de ma main libre, je pèse lourdement sur la nuque de l'animal. Au lieu de se coucher à mes pieds, il me résiste, les muscles tendus, les oreilles baissées, les yeux étrécis de colère. Il s'est collé contre le moteur, au risque de basculer dans le chenal et de se faire déchiqueter par l'hélice. Il aboie à me crever les tympans.

– Crapulon, arrête ton cirque, espèce de cabot !

Il poursuit son manège, le mufle tourné vers un point situé loin en arrière, dans le chenal de Grand-Piquey.

Je suis son regard et j'aperçois un gros hors-bord qui, venant du sud de la presqu'île, fonce sur le Chorizo à folle allure.

Comme il creuse de larges sillons sur son passage, je me déroute sur la droite, vers le large, afin d'atténuer les chocs répétés de la houle contre la coque du Chorizo.

Le pilote change de cap et s'oriente sur tribord, lui aussi.

– Non, mais il est demeuré, celui-là !

Mâchonnant des injures entre mes dents, je braque sur bâbord, en direction de la plage de Petit-Piquey, et je pousse mon moteur au maximum de sa puissance.

Le taré fait de même. Il gesticule, debout au volant de son engin qui n'est plus qu'à deux cents mètres du Chorizo.

Je distingue nettement les contours d'un gros Zodiac Pro identique à celui que les voleurs cherchaient hier.

– Ah non, le cauchemar ne va pas recommencer !

Crapulon, qui hurle à la mort, me confirme que je ne suis pas victime d'une hallucination : le Tank me montre le poing par-dessus le pare-brise du hors-bord. Et, assis sur les sièges des passagers, Ben et le Squelette rient à gorge déployée.

– Julie, accroche-toi, ça va chauffer !

Elle s'ébroue, examine le bateau qui se rapproche dangereusement et bégaie, hagarde, après avoir identifié les occupants du Zodiac Pro :

– Tu crois qu'ils vont nous filer une dérouillée ?

– Et nous jeter à l'eau, j'en ai bien peur, dis-je d'une voix sombre.

9

Julie est blême d'angoisse ; elle balbutie :
— Allons sur la plage de la Pointe-aux-Chevaux ! Il y a un café où nous pourrons nous réfugier.

— C'est à plus de cinq cents mètres, ils nous rattraperont en chemin, leur moteur est beaucoup plus puissant que le nôtre.

— Alors, quitte le chenal et dirige-toi vers les parcs à huîtres de Petit-Piquey, ils s'échoueront sur les casiers !

— C'est trop loin, on ne les atteindra jamais...

— J'ai la trouille, Fred !

Elle se ronge les ongles, les yeux braqués sur l'engin qui se rue vers nous à la vitesse d'une bombe.

– T'inquiète, on va s'en tirer, mon chaton.

Plus baratineur, tu meurs ! Car je ne sais comment empêcher ces trois malades d'éperonner le Chorizo et de nous noyer comme une portée de chiots. Mes tempes bourdonnent, j'ai mal au ventre... J'avise soudain un voilier amarré en lisière du chenal, à une cinquantaine de mètres sur bâbord – voilà notre chance de salut ! Je tends une corde équipée d'un mousqueton à Julie et je lui dis de la fixer au navire sitôt que nous l'aurons atteint...

... Si nous l'atteignons !

Elle incline la tête. J'actionne brutalement la manette du Honda, le Chorizo décolle et zigzague vers le voilier qui se trouve encore à une quarantaine de mètres.

J'entends rugir le gros moulin du Zodiac Pro derrière moi.

– Grouille, supplie Julie, ils arrivent !

Le voilier est à trente mètres de nous.

Le mugissement du Suzuki cent quinze chevaux fixé au cul du Zodiac Pro hache la voix du Tank qui vomit des injures.

Le voilier, un Bénéteau de fabrication récente, est à quinze mètres.

Des gerbes d'eau jaillissent, de violents remous soulèvent l'arrière du Chorizo. J'agrippe Crapulon, qui aboie comme un forcené, debout à l'arrière du canot, avant qu'il ne tombe à la flotte.

Le voilier n'est plus qu'à sept-huit mètres.

– Julie, tiens-toi prête.

Les énergumènes, qui ont compris le but de la manœuvre, poussent des beuglantes à bord du Zodiac Pro. Le Tank augmente sa vitesse, les vagues déferlent et nous plaquent contre le voilier, Julie en saisit le rebord d'une main, ouvre le clip de l'anneau de l'autre, un bruit métallique retentit, ça y est, le Chorizo est amarré à un taquet fixé à la poupe du Bénéteau, nous sommes sauvés !

Enfin, presque...

– Julie, grimpe, dépêche-toi !

– Je ne peux pas, ça tangue trop !

Elle est en extension sur la pointe des pieds, les deux mains agrippées au bastingage du voilier, elle n'a pas la force de se hisser à bord. Je la saisis aux hanches et je l'aide à se rétablir sur le pont du Bénéteau. Puis je m'accroupis au fond du Chorizo pour éviter les coups de Ben et du Squelette qui m'insultent et n'ont pas encore digéré que j'aie flanqué leur 4×4 à la baille, hier au soir. Les gifles pleuvent, les horions volent, j'ai beau me cacher la tête entre les bras, je vois trente-six chandelles. Soudain une poigne de fer m'encercle la nuque et m'attire vers l'hélice du Honda, Julie glapit d'une voix suraiguë :

– Lâchez-le, espèce de maniaque !

– Une balance pareille qui se dépêcherait d'aller cafter aux flics, jamais de la vie ! brame le Squelette.

Avec un grognement féroce, Crapulon se jette sur Ben et lui plante ses crocs dans le bras. Ben s'écarte de moi avec un rugissement de douleur, je détache une pagaie de sa dame de nage et j'en frappe le Squelette qui brandit son horrible couteau et vise le schnauzer.

L'arme rebondit sur le boudin du Zodiac Pro et s'enfonce dans les vagues, Ben tape à grands coups de poing sur le crâne du chien qui gronde et ne lâche pas prise, le Squelette m'empoigne aux cheveux et me plonge la tête sous l'eau, je vois rouge, mes oreilles bourdonnent, mes poumons s'enflamment, l'asphyxie me gagne...

Un cri rageur résonne à la surface, l'étau se desserre...

Je sors la tête de l'eau, j'aspire une large goulée d'air et je m'effondre au fond du Chorizo, sonné. Le Zodiac Pro s'est éloigné de quelques mètres et le Tank s'égosille :

– On s'arrache, elle est complètement siphonnée, cette fille, elle va nous bousiller le Suzuki ! Un quatre temps tout neuf !

Le Tank braque au nord-ouest et monte son moteur à cinq mille tours. L'arrière du Zodiac Pro chasse sur les vagues et quitte la zone d'attraction du voilier à l'avant duquel Julie, une gaffe au poing, tentait de briser l'hélice du Suzuki ou d'en défoncer le capot.

– Tu as visé juste, Julie, une vie humaine, ça ne vaut rien pour ces minables, tandis qu'un Suzuki volé, ça leur rapporte beaucoup d'argent !

– Le chien, gémit-elle, le chien...

– Quoi ? Oh non, quelle horreur !

Hélas, Crapulon est resté sur le Zodiac Pro qui fonce pleins gaz vers l'inconnu. Le Squelette, qui se tient à l'arrière de l'embarcation, l'attrape par les oreilles, comme un vulgaire lapin, et l'agite dans le vide au-dessus du Suzuki. L'animal piaule et pédale des quatre pattes, le Squelette hennit de joie et promène le chien au ras de l'écume, Julie fond en larmes.

Je la presse de revenir auprès de moi. Elle enjambe le rebord du voilier, largue l'amarre, j'enclenche le démarreur du Honda et je file plein nord, dans le sillage du Zodiac Pro qui a déjà doublé l'anse des Jacquets.

– Vite, vite, hoquette Julie, la distance se creuse !

– Ma bécane n'a que vingt-cinq chevaux, elle n'avance pas !

– J'ai l'impression qu'ils sont déjà dans le chenal d'Arès, à la hauteur du port du Four... Tu as des jumelles ?

Je lui fais signe que non. Julie s'essuie les yeux et, tournée vers la proue du Chorizo, scrute désespérément l'horizon. Deux ou trois minutes s'écoulent et elle m'informe d'une toute petite voix :

– Le Zodiac a disparu, Fred.

– On continue quand même. Imagine que Crapulon ait réussi à sauter de leur bateau...

– Au risque de se faire déchiqueter par le moteur ? frémit-elle.

Je ravale un soupir angoissé. Aucune des hypothèses qui me traversent l'esprit n'incite à l'optimisme : ces brutes peuvent aussi bien noyer la bête que l'abandonner n'importe où. Je doute que Julie parvienne à récupérer son petit compagnon, cependant j'essaie de lui remonter le moral :

– Tous les chiens savent nager, Julie.

Nous progressons lentement vers le fond du bassin, les yeux braqués sur les vagues, sans y repérer la tête du schnauzer.

Le temps s'étire interminablement. Julie sanglote tout bas et moi, j'ai les nerfs en pelote. Dans le chenal de Lège, à la hauteur de Jane-de-Boy, Julie me signale que le courant s'inverse : la marée redescend.

Désolé pour elle, je lui presse les doigts : la marée montante aurait porté Crapulon jusqu'à l'une ou l'autre des plages situées au nord de la presqu'île ; alors que, avec le reflux des eaux, il risque, même s'il parvient à s'échapper du Zodiac Pro, d'être entraîné vers le large et de mourir dans les passes, une zone de remous située à la rencontre des courants du large et de ceux, moins violents, du bassin d'Arcachon.

Je cherche un mot de réconfort lorsque le Honda émet des ratés, tousse, s'étrangle et s'arrête. Je m'efforce de le remettre en route, en vain ; il éructe quelques borborygmes et refuse de redémarrer. Je me résous à avouer piteusement :

– Je crois qu'on est en panne d'essence.

Julie regarde le fond de la coque et s'aperçoit que j'ai oublié d'emporter un bidon de secours.

– Parisien, va ! me tance-t-elle, irritée. Donne-moi ton portable, que je dise à mon père de venir nous récupérer.

– Ah non, j'aurais l'air d'un charlot !

Avec un coup d'œil torve, elle décrète que nous n'avons pas le choix. Je fouille la poche droite de mon short, puis la gauche, je palpe ma vareuse, soulève les deux cardigans roulés en boule sous le banc du Chorizo, en pure perte. Atterré, je relève les yeux vers Julie :

– J'ai dû le perdre quand le Squelette m'a sauté dessus.

– Tu veux dire qu'il a coulé sous le voilier ?

– J'en ai l'impression.

Julie me dévisage, blanche comme un linge. Elle se tourne vers les passes, situées à une vingtaine de kilomètres au sud, et m'annonce d'une voix chevrotante qu'à moins qu'un ostréiculteur circulant à bord de son chaland ne remarque le Chorizo, nous allons connaître un sort identique à celui du pauvre Crapulon.

– Je ne vais pas me noyer en mer après avoir survécu à deux tentatives de meurtre ! Toi non plus, Julie !

Ça, c'est de la pure fanfaronnade : le trafic est faible sur l'eau en dehors de la période estivale, je le sais aussi bien qu'elle. De plus, le soleil baisse et les rares pilotes qui naviguaient cet après-midi sont déjà rentrés à terre : nos chances d'être remorqués par une autre embarcation sont à peu près voisines de zéro. Mon amie serre craintivement les bras autour de son torse et soupire :

– On a une ou deux heures de répit, pas plus, Fred.

10

En deux heures, au cinéma, le héros a le temps de s'égarer en haute montagne, d'être attaqué par un ours affamé, de glisser au fond d'une crevasse, d'en ressortir à la force du poignet et, au terme d'une longue errance dans une tempête de neige, de s'échouer, épuisé, mais sain et sauf, à la porte d'une cabane habitée...

Pendant que je divague, mon regard se porte sur l'île aux Oiseaux, dont la végétation émerge au milieu du bassin, à quatre ou cinq kilomètres de nous. La marée descendante va nous entraîner plein sud et, à un moment, dans le chenal d'Arès, nous croiserons l'île qui se trouvera à tribord, plus à l'est.

– D'où vient le vent ? dis-je à voix haute.

– Du nord-ouest, répond Julie, après avoir observé la course des nuages dans le ciel.

– Alors il va nous pousser dans la bonne direction !

Je lui expose mon plan : ramer très en amont de l'île, du nord-ouest au sud-est, pour rejoindre le secteur des parcs implantés en lisière du chenal de Piquey et, de là, gagner une zone d'eaux calmes où nous pourrons, mi-nageant, mi-barbotant dans des fonds limoneux, atteindre le rivage de l'île.

J'attrape les pagaies, j'effectue un demi-tour et je maintiens le Chorizo dans le bon axe.

– Tu veux traverser le chenal d'ouest en est ? se renseigne Julie.

– Oui, le vent nous empêche d'accoster

quelque part au Ferret, il nous entraîne dans l'autre sens, vers Arcachon.

– Exact, mais tu n'auras jamais la force de couper le chenal dans sa largeur, le courant est trop puissant.

– Pas si je m'y prends très à l'avance, en ramant de biais.

Elle a l'air sceptique. Elle observe le Chorizo d'un œil critique et m'objecte que l'épaisseur du boudin gêne l'utilisation des pagaies.

Voilà Mademoiselle-je-sais-tout qui pointe le bout de son nez ! N'étant pas d'humeur à pérorer, je l'envoie dans les choux :

– Le Chorizo se manœuvre mal à la rame, d'accord. Mais il est insubmersible, comme tous les Zodiac, et si nous dérivons jusqu'aux passes, tu te féliciteras de ne pas les aborder en barque !

Elle frissonne et, d'une voix radoucie, propose de me relayer lorsque je serai fatigué.

– Pour l'instant, ça va, je me contente d'accompagner le mouvement.

Elle hoche la tête. Le Chorizo glisse insensiblement vers la pointe sud de la presqu'île : les premières maisons du village de Claouey se devinent, à tribord, au loin, sur une grisaille brumeuse. Je tourne la tête vers le soleil qui rougit à l'ouest et je questionne avec nervosité :

– Tu as l'heure ?

– On a encore du temps, élude Julie qui sait aussi bien que moi qu'il serait difficile de parvenir à nos fins en pleine nuit.

Le voyage se poursuit, l'anse de Claouey défile à main droite et le Four se rapproche peu à peu. En revanche, le Chorizo reste au milieu du chenal et ne s'éloigne guère du rivage du Cap-Ferret : l'appui du vent se révèle moins fort que prévu. Je n'ose en faire la remarque à Julie, qui tremble de tout son corps, prostrée à l'avant du Chorizo. C'est elle qui me lance, en claquant des dents :

– Tu as commencé à ramer vers l'île ?

– Non, j'attendais d'arriver à la hauteur des Jacquets.

– Le vent a faibli, mieux vaut le faire tout de suite, murmure-t-elle d'une voix éteinte.

Je m'exécute : mes pagaies heurtent un mur de plomb, tant le courant est fort. Je cale mes pieds tout au fond du bateau, je me penche vers l'avant et je remonte vers l'arrière, en adaptant ma respiration à la cadence. Rien ne se passe, la proue ne dévie pas d'un millimètre, le Chorizo semble lesté de béton. Au bout de cinq minutes, je suis en nage, mon cœur bat la chamade, mon dos n'est plus qu'un arc de douleur...

– Tu veux que je te remplace ? suggère Julie, paniquée.

Haletant, je décline son offre. Moi qui pratique le sport à haut niveau, je n'y arrive pas, alors elle, la pauvre, ne tiendrait pas deux minutes à ce régime.

– Planche à voile...

– Quoi ? gargouille Julie, interdite.

Je ferme les paupières et je m'imagine virevoltant sur les vagues. Peu à peu, mes muscles se dénouent, la souffrance s'efface, mon rythme cardiaque se ralentit et s'accorde à ma respiration, mes mouvements se font plus efficaces.

– Hourra, ça bouge ! me crie Julie.

– Il faut savoir jouer avec la mer, comme lorsqu'on se tient debout sur une planche.

– Cela n'a rien à voir, rétorque Julie avec hauteur.

Je la laisse pérorer, je me concentre sur la lutte contre le courant. Car la zone des parcs à huîtres est encore à plus de mille mètres. Et la marée nous entraîne si vite que je crains d'être déporté trop au sud et de ne pas pouvoir m'amarrer à l'un des piquets qui délimitent la zone ostréicole. La nuit tombe, de surcroît. Et la nervosité de Julie n'arrange rien. Elle ne cesse de me rabâcher, soi-disant pour m'encourager :

– Plus que sept cents mètres... Non, six

cents ! Zut, je n'en sais rien, il fait trop sombre !

Elle m'énerve, à pépier sans arrêt ! Mais alors que je m'apprête à lui dire de se taire, une brûlure fulgurante me traverse de part en part.

– Aïe, aïe, ouille !

Je me plie en deux sur le banc. Une des pagaies sort de sa dame de nage, Julie la saisit au vol avant qu'elle ne coule sous la coque du Chorizo.

– Fred, qu'est-ce qu'il y a ?

Je sens ses doigts s'égarer dans mes cheveux. J'ai si mal que je suis incapable de ressentir la moindre émotion.

– Fred, s'il te plaît, parle-moi !

Dans un souffle, je lui avoue que j'ai un point de côté. Et que je n'ai plus la force de ramer : nous allons dériver trop au large de l'île et nous noyer dans les passes d'Arcachon...

11

— Repose-toi, je vais te remplacer.

Je lui adresse un regard ahuri. Je suis tellement lessivé que je ne réagis pas quand elle se glisse précautionneusement à ma place et m'aide à m'étendre sur le plancher du Chorizo. Tout en respirant à fond pour défaire le nœud qui me bloque les entrailles, je l'entends tâtonner derrière moi, frotter les pagaies contre le boudin du Zodiac, les plonger dans l'eau à contre-sens... Elle pédale en pleine semoule, la proue dévie à l'est, le bateau oscille comme une coque de noix au milieu des remous.

– Gaffe, on va chavirer !

– Arrête, ça ne sert à rien de gueuler comme une truie qu'on égorge, me jette-t-elle d'un ton sec.

Vexé, je boude avec ostentation. Non sans garder les yeux rivés sur l'avant du Chorizo qui se remet dans le bon axe et trace la route vers la zone des parcs à un rythme plus soutenu que je ne le pensais. Un peu à contrecœur, je reconnais qu'elle se débrouille mieux que moi.

– J'ai appris à ramer en barque, pas en Zodiac, c'est tout.

– Désolé, je me suis emporté...

– À quelle distance des pignottes sommes-nous ? coupe-t-elle d'un ton plus aimable.

– Des quoi ?

– Des piquets plantés dans l'eau autour des parcs à huîtres, espèce de Kéké !

Je cligne des yeux : un clair-obscur laiteux recouvre le bassin et brouille les distances. Je suis incapable de lui fournir une réponse. Je me demande comment elle fait pour se repérer dans cette purée de pois. Lorsque je lui pose la question, elle me rappelle qu'elle est née ici et qu'elle navigue avec son père depuis l'âge de six ans.

– Tiens, attrape un bout et accroche-le, on y est, ajoute-t-elle.

Effectivement, le nez du Chorizo heurte un faisceau de piquets, pardon, de pignottes ! J'amarre solidement le youyou et, soulagés, nous reprenons haleine en fouillant la pénombre du regard.

– On est juste face à la plage du Canon.

– Tu es sûre ?

Elle tourne légèrement la tête vers l'arrière et me désigne des lumières rouges qui clignotent dans la brume, de l'autre côté du chenal de Piquey : elles signalent la présence du relais de télévision implanté sur les hauteurs de Piraillan. Je dis à Julie qu'elles vont nous servir de repère pour rallier le rivage de l'île, situé à environ cinq cents mètres de nous, au-delà des parcs et d'une ceinture de prés salés où les pêcheurs à pied viennent déambuler à marée basse. Elle pointe l'index vers le ciel et assure :

– La lune perce entre les nuages, on y verra clair.

– Alors, guide-moi, je reprends les rames.

Revigoré par cette courte halte, je progresse prudemment le long des pignottes, l'œil rivé sur les casiers qui pourraient affleurer au fil du courant. Julie s'est agenouillée à l'avant du Chorizo. D'un mot bref, elle me désigne les obstacles qui se dressent devant nous, barres de fer rouillées ou structures métalliques des parcs susceptibles de fausser l'hélice.

Quelques minutes plus tard, Julie saute du Zodiac et se retrouve avec de l'eau à mi-cuisses. Elle m'invite à faire de même et me garantit que nous avons atteint une vaste zone sablonneuse où l'on ne court pas le risque de se blesser en marchant sur des coquilles d'huîtres.

– La prochaine fois que je me plante en bateau, je t'appelle au secours, chaton doux !

– Sauf que si tu n'avais pas eu l'idée de jouer avec le vent d'ouest et le courant dominant, on aurait dérivé jusqu'aux passes d'Arcachon, me renvoie-t-elle.

J'hésite une seconde à formuler la phrase qui me traverse l'esprit, mais comme elle me sourit, j'enchaîne :

– On est faits pour s'entendre, tous les deux !

Nous clapotons, de l'écume aux chevilles, vers les buissons d'épineux qui cernent la partie ouest de l'île. Une fois à pied sec, je traîne le Chorizo derrière moi sur quelques centaines de mètres, puis je le tire en haut de la dune et je l'attache au tronc d'un arbousier. Julie, qui m'observe, persifle :

– Tu ne veux pas le cadenasser, au point où tu en es ? La marée ne monte jamais jusqu'ici !

– Je ne tiens pas à rentrer à la nage demain matin. Deux précautions valent mieux qu'une !

– Oui, se munir de *deux* jerricanes d'essence, rebondit-elle. Et d'une petite ancre, ça t'aurait permis d'arrimer ton youyou en basses eaux !

Je lui coule un regard noir. Elle pouffe de rire, brandit la tablette de chocolat et le paquet de galettes bretonnes que j'ai fourrés à la hâte dans un sac, cet après-midi :

– J'ai une de ces faims ! Et une de ces soifs !

– Ah oui ? Et qui a emporté un petit en-cas ? Un chandail pour les filles qui grelottent ?

– Bon, tu es l'homme de la situation, je l'admets !

Elle enfile mon pull qui lui tombe aux genoux et se jette sans vergogne sur les provisions et le magnum de Vittel. Le soulagement d'avoir échappé à de multiples périls nous rend euphoriques : les plaisanteries fusent, je pleure de rire lorsque Julie imite ma façon de ramer, j'en ai mal aux côtes !

Mais brusquement Julie fond en larmes et bégaie qu'elle a peur pour son chien. Et le vent froid qui s'est levé contribue à nous saper le moral ; l'urgence s'impose : dénicher un abri pour la nuit. Je distingue le faîtage d'une toiture, au-delà d'une ligne de pins, dans la pénombre. Il me revient alors que de rares ostréiculteurs du bassin ont eu l'autorisation de construire des cabanes sur l'île et d'y jouer les Robinson Crusoé, le dimanche à la belle saison :

— Tu crois que l'une d'entre elles est ouverte ?

— Non, à cause des squatters.

— Essayons toujours, je préférerais dormir au chaud.

Son petit visage triangulaire se ferme. Elle s'éloigne avec brusquerie. Je m'empourpre et je patauge dans des justifications alambiquées :

— Qui sait si l'une d'entre elles ne contient pas une nourrice pleine d'essence, ça nous permettrait de rentrer à Piraillan !

– Pas à marée basse. Et je te répète que ces cabanes sont fermées.

Elle se tient raide comme une statue, au pied de la dune, les yeux braqués vers Piraillan. Qu'est-ce qu'elle s'imagine, cette fille ? Que je vais lui sauter dessus comme un vulgaire goujat ?

– Alors là, bonjour la confiance ! Et dire que je me suis engagé à veiller sur toi !

Touchée, elle murmure :

– Auprès de mon père ?

– De qui d'autre, à ton avis ?

– Eh bien, parlons-en, de mon père : tu as une idée de l'angoisse qu'il éprouve, à l'heure qu'il est ? Quant à ma mère, j'en suis malade rien que d'y penser !

Je la fixe, consterné : de la course-poursuite dans le chenal à la panne sèche, sans oublier la disparition du chien et la lutte contre le reflux sournois de la marée, les catastrophes se sont enchaînées à une allure si vertigineuse que je n'ai pas songé une minute à leurs conséquences.

– Tu as raison, ta famille doit être au trente-sixième dessous.

– Ta mère aussi, Fred.

Je renifle avec mépris :

– Elle ? Madame travaille, je te parie qu'elle me croit dans ma chambre !

– Peu importe, mes parents vont lancer des recherches, il faut rester sur le rivage et guetter les sauveteurs qui pourraient survenir.

– L'eau s'est déjà retirée des parcs à huîtres qui entourent l'île, aucun bateau ne sortira du chenal de Piquey.

Julie l'a reconnu elle-même, l'île n'est accessible qu'à marée haute. Pourtant elle s'entête :

– Et si on signalait notre présence par un grand feu de bois ?

– Il faudrait avoir des allumettes.

Elle tape du pied, énervée, puis se range à mon avis :

– Il y a sans doute des lampes à gaz ou des briquets, dans l'une de ces cabanes. Allons-y.

Un rictus triomphant au coin des lèvres, je la précède sur le sentier qui mène au cœur de l'île. C'est alors qu'éclate un coup de feu puis un deuxième. Des éclairs sillonnent l'obscurité. Julie pousse un cri d'effroi. Je me retourne vers elle :

– Penses-tu que des gens séjournent ici, à Pâques ?

– Très rarement.

– Alors, qui est-ce ?

Nous échangeons un regard affolé : le même soupçon nous trotte dans la cervelle. Des craquements résonnent parmi les broussailles. Brusquement, une silhouette massive se découpe sur la clarté lunaire, à une cinquantaine de mètres de nous.

– Mon Dieu, le Tank ! miaule Julie.

– Chut, sauvons-nous !

12

J e saisis le poignet de Julie et je l'en-traîne derrière un buisson. Accroupis sur le sol, nous retenons notre souffle. Mon sang cogne si fort à mes tympans que j'ai l'impression d'entendre un torrent de montagne dévaler furieusement un ravin, après un gros orage. Un cliquetis se produit quelque part sur ma gauche : le Tank arme son fusil et s'apprête à tirer. Julie ouvre la bouche, je lui plaque la main droite sur la figure, elle émet un gémissement inarticulé, les craquements de bois mort, le long du chemin, se rapprochent dangereusement.

Julie s'affaisse entre mes bras, à moitié évanouie...

Le Tank s'est immobilisé devant le bosquet de mûriers sauvages où nous avons trouvé refuge. Je ne le vois pas, mais son ombre s'étale en travers de la sente, noire, menaçante, cauchemardesque. Une respiration rauque siffle dans la pénombre. Il ne dit rien, il écoute, il cherche à savoir où nous sommes...

De la main gauche, j'explore le sable à tâtons. J'agrippe une pierre et je la jette de biais, au-delà de notre adversaire – plic ploc ! elle rebondit contre un tronc d'arbre avec un bruit feutré.

Des semelles crissent sur le gravier, l'homme s'écarte du sentier et plonge au milieu des fourrés.

Je pince Julie et lui chuchote à l'oreille :

– Filons à quatre pattes jusqu'au taillis suivant, vite !

Je lui cède le passage et nous crapahutons vers un bosquet de genêts situé dans la direction opposée à celle du tueur. Des feuilles mortes se froissent sous nos genoux, des branches s'écartent et se rabattent, des brindilles volettent, on dirait qu'un sanglier folâtre en pleine forêt.

Le Tank se fige. L'acier de sa carabine brille au-dessus des frondaisons à une centaine de mètres. Je presse l'épaule de Julie qui s'est arrêtée, elle se remet à détaler en biais le long des arbousiers, une détonation sèche claque au ras de nos têtes, PAN !

Julie s'immobilise et s'aplatit à terre. Je la secoue :

– Tu es blessée ?

Sans mot dire, elle se recroqueville sous les hautes herbes qui jalonnent la piste tracée au travers des futaies. Fou d'angoisse, je me tapis auprès d'elle et, du bout des doigts, je cherche la tiédeur visqueuse d'une coulure de sang sur son visage. D'une pression de la main, elle me fait comprendre qu'elle n'a rien ; enlacés, tremblants, nous écoutons le Tank soliloquer d'une voix sourde, à quelques pas de là.

Puis un voile de silence nous enveloppe : l'homme guette, il flaire l'obscurité, comme un animal prédateur...

Son pas caoutchouté décroît entre les arbres. D'une volte-face, il s'est orienté vers l'est de l'île, nous sommes sauvés !

Du moins pour l'instant...

Tout à coup, je me frappe le front avec le poing :

– Bon Dieu, on a oublié le Chorizo !

– Quoi ?

– Il faut le cacher, au cas où le Tank se rendrait sur le rivage.

Elle opine du chef et s'élance vers la mer.

Cinq minutes plus tard, le Zodiac est enfoui dans un hallier, sous une épaisse litière de feuillage qui le dissimule entièrement aux regards.

Comme attirée par un aimant, Julie s'avance sur les prés salés que le reflux des eaux a découverts. La main posée en visière sur les sourcils, elle observe le chenal qui se trouve à huit cents mètres. Elle espère y apercevoir un canot de sauveteurs.

Je la presse de revenir auprès de moi : on y voit à des kilomètres à la ronde, sur cette plage, à marée basse.

– Et si on allait juste au bord des parcs, jeter un coup d'œil ? On aura peut-être la chance d'y retrouver Crapulon...

Sa voix se brise dans un sanglot. Je refuse de me laisser attendrir. Je la rejoins et la ramène de force à l'abri des arbres en lui expliquant que je n'ai nullement l'ambition de terminer ma carrière farci de plomb comme un vulgaire perdreau. Elle égrène un petit rire fébrile. Sans lui lâcher la main, je la pousse vers une baraque dissimulée dans un fouillis inextricable d'acacias et de mimosas, au sommet de la dune.

– Lâche-moi, tu me serres trop, je vais avoir un bleu ! se rebiffe Julie.

– Cachons-nous dans cette maison.

– Elle est bouclée à double tour, personne n'y séjourne jamais.

– Eh bien, nous, on va le faire, Mademoiselle-je-sais-tout, que ça te plaise ou pas !

– Je n'ai pas d'ordre à recevoir d'un grand concombre prétentieux, regimbe-t-elle en se débattant.

– Avance, miss Hérisson, avance, mam'-zelle Oursin !

– Comment ! s'offusque-t-elle. Toi, tu n'es qu'un fonbou de la ville, rien d'autre !

Je la fixe, ahuri : un fonbou ? C'est quoi ? Un rat des villes ?

– Un bouffon, explique-t-elle.

Une déflagration met fin à nos chamailleries, le Tank rôde toujours, non loin de nous.

– Vite, vite, courons !

13

La construction en rondins émerge vaguement d'une masse touffue de ronces, à l'aplomb de nos têtes.

En quelques bonds, nous escaladons la dune.

La barrière cède avec un grincement de gonds rouillés, mais la porte et les fenêtres protégées par de lourds volets en sapin résistent à nos efforts.

– Et voilà, j'en étais sûre, souffle cette enquiquineuse de Julie.

J'inspecte les alentours de la cahute du regard :

– Il y a un auvent, à gauche...

– C'est la réserve de bûches. On ne t'a pas dit que c'était bourré de punaises et de termites, ces endroits-là ?

Je la plante là et je contourne la maison. Un canot est appuyé à la verticale contre le mur. Je le pose au sol et je m'empare d'une vieille bâche qui protège la provision de bois. Julie, qui m'a suivi en râlant, m'aide à en recouvrir les trois quarts de l'annexe. Elle se faufile à l'intérieur de la coque. Je la rejoins et je rabats entièrement la toile au-dessus de nos têtes.

Julie s'est allongée le nez contre le flanc de l'annexe. Je me pelotonne dans l'autre sens. Mais l'inclinaison de la coque nous ramène l'un vers l'autre. Les coudes de Julie me rentrent dans les reins. Elle me pousse, m'accuse d'accaparer les deux tiers de l'espace disponible. Je change de côté et nous nous retrouvons dans la position du petit train, un wagonnet accroché à l'autre. Les cheveux de Julie me chatouillent les narines, j'ai une crampe à l'épaule, mais je ne céderais pas ma place pour un empire : je glisse mon avant-bras autour de la taille de Julie et je lui demande si elle a froid.

– Un peu... Il fait humide, on se croirait dans une grotte !

Je lui frotte énergiquement le dos et je lui dis qu'elle aura chaud sous une dizaine de minutes, la tiédeur de nos corps ayant pour effet d'élever la température de notre cachette.

Elle pivote vers moi et me ceint le buste de ses deux bras :

– On se croirait en camping, sous une tente...

J'acquiesce, la gorge serrée. Dire que je dois ces instants merveilleux au Tank et à ses acolytes, c'est à peine croyable ! Je plane sur un petit nuage, mais Julie, avec son pragmatisme habituel, se charge de me réexpédier sur le plancher des vaches :

– J'aurais juré qu'ils allaient conduire le Zodiac Pro au port d'Arès ou à celui d'Andernos et l'embarquer immédiatement sur un camion.

– Moi aussi. Une panne a dû les surprendre à marée descendante et les obliger à se réfugier sur l'île, comme nous.

Elle argue que la coïncidence lui paraît incroyable. Et que le Zodiac Pro avait l'air flambant neuf.

– Ils auront oublié de vérifier le niveau d'essence contenu dans le réservoir.

– Oui, ça arrive à des gens très bien, pouffe-t-elle.

Je la traite de coquine en réprimant un bâillement d'ours. Mes nerfs se relâchent après cette journée mouvementée, la fatigue me terrasse. Je glisse dans la somnolence lorsque Julie, tenace, me claironne à l'oreille :

– C'est bizarre qu'il soit seul.

– Qui ça, chaton doux ?

– Le Tank ! Où sont les deux autres ?

– Partis chercher un canot de rechange.

– À la nage ?

– Je présume qu'ils sont allés attendre sur la face est de l'île qu'on vienne les récupérer par le petit chenal situé près des cabanes tchanquées[1]. C'est le seul accès à l'île à marée basse.

– Il est minuscule, ce chenal ! Si on l'emprunte la nuit, on est sûr de s'échouer !

Agacé par ses grands discours de raisonneuse en chef, je lui oppose que les voleurs ont chacun leur téléphone mobile, ce qui leur fournit un vaste éventail de choix pour alerter des complices et quitter les lieux.

– Du reste, si tu en avais un, on serait déjà rentrés chez nous, lui dis-je, non sans perfidie.

– Tu crois que mes parents roulent sur l'or ? Un portable, ça coûte cher ! s'emporte-t-elle.

Zut, j'ai gaffé, une fois de plus ! Mais comme j'en ai ma claque de m'excuser à tout bout de champ d'avoir une mère

1. Nom donné aux célèbres cabanes sur pilotis situées au milieu du bassin d'Arcachon.

nantie, je menace de ne plus lui adresser la parole si elle me traite encore de gosse de riche. Elle renifle, se serre contre moi, marmonne d'une voix contrite :

– Alors, cesse de me prendre pour Bécassine !

Je lui caresse les cheveux et lui rétorque avec un rire moqueur :

– Bécassine est bretonne, pas toi...

Elle me pince le bras jusqu'au sang :

– Idiot !

La paix conclue, je sombre dans une léthargie inquiète. Des images de canot blackboulé par des vagues gigantesques jaillissent à mon esprit sitôt que je ferme les yeux. La marée chuinte à mes oreilles, j'ai des vertiges, la peur de couler à pic me noue les entrailles bien que nous soyons sur la terre ferme. Lorsque je cède à l'épuisement, le ronflement du vent dans la pinède, le cri d'une chouette, un craquement de branche, me réveille en sursaut. Je soulève un coin de la bâche et je scrute les abords de la cabane avec la hantise de voir l'ombre massive du Tank se dresser face à moi...

Je me recouche et je m'exhorte au sommeil. Julie, que je croyais endormie, m'interroge soudain d'un ton désespéré :

– Tu crois qu'il s'est noyé ?

– Ton chien ? Je ne pense pas.

– Pourtant on l'entendrait aboyer s'il était arrivé ici en Zodiac avec le Tank et...

– Tu vois tout en noir ! Tu la reverras, ta petite crapule à barbichette, je te le promets.

Elle se remet à sangloter. Je la berce contre moi et j'essuie ses larmes avec un mouchoir qui traîne au fond de ma poche. Elle enfouit sa frimousse dans l'épaisseur de mon chandail. Ses épaules se soulèvent en cadence. Elle est inconsolable. Je lui caresse la joue et, à court d'arguments, je fredonne :

Fais dodo, Julie ma jolie,
Fais dodo, t'auras plus bobo...

Au bout de quelques minutes, sa respiration devient plus régulière : elle est partie rejoindre son Crapulon en rêve...

14

Une main me tape sur le bras. Je me dresse, le cœur battant la breloque, le regard flou, et je distingue les traits crispés de Julie à la faveur d'un rayon de lune. Elle a ôté la bâche et enjambé le rebord de l'annexe.

– Qu'est-ce qu'il y a ? Tu as fait un cauchemar ?

– Réveille-toi, le Tank est revenu.

– Oh non !

Elle braque l'index vers un point lumineux qui danse au milieu de la broussaille, derrière la maison. Une silhouette massive s'approche sur le sentier qui sillonne l'île ; elle nous coupe la retraite vers l'intérieur des terres. Impossible de dévaler la dune et de fuir par la plage, nous y serions trop repérables. Quant à plonger dans l'épais bosquet de mimosas et d'arbousiers qui clôt le jardin, inutile d'y songer, le crépitement des branches cassées nous trahirait...

– Il faut décamper en quatrième vitesse, trépigne Julie.

Je bondis hors de l'annexe, j'attrape la bâche et je la replace à la hâte sur le bûcher. C'est en me penchant pour ajuster les plis de la toile contre les rondins que je m'avise qu'une vaste terrasse en bois entoure la maison et qu'elle est surélevée d'une quarantaine de centimètres. Entre les poutres qui portent ce plancher et le sol, il y a un espace où se cacher. J'attrape Julie par le poignet, elle s'accroupit auprès de moi et rampe sous la terrasse. Je vérifie que nous n'avons laissé aucun objet qui révélerait notre présence dans le fond de la barque et je me coule à côté de Julie en crawlant sur les avant-bras.

– On étouffe là-dessous, proteste-t-elle.

– Reviens vers le bord, l'air y circule mieux.

Elle s'exécute, sursaute, se cogne le crâne à une solive :

– Il y a des rats partout !

– Tais-toi, le Tank arrive !

– Je t'assure, j'en ai senti un me frôler les jambes !

– Julie, par pitié, arrête !

Elle se recroqueville sur le sol, les bras serrés contre le torse, les genoux relevés jusqu'au menton. Je l'attire à moi et je lui dissimule la tête sous un pan de mon chandail. Elle claque des dents, les rats la terrifient encore plus que le Tank dont les chaussures s'enfoncent dans le sable avec un bruit spongieux, tchouk, tchouk, tchouk. Le pinceau blafard de sa torche sautille dans la pénombre, rase les flancs de l'annexe, s'attarde à l'intérieur de la coque. Le

Tank module un sifflement et s'agenouille le long du bateau. Je ravale un cri d'anxiété à la pensée d'y avoir oublié quelque chose. Mon mouchoir, où est mon mouchoir ? Dans la poche de mon short, ça va. Et j'ai pensé à prendre le magnum de Vittel à moitié vide qui avait roulé à terre, tout baigne. Alors pourquoi reste-t-il là, à fourgonner près de cette maudite annexe ? J'ai beau me dévisser le cou, je ne le vois pas, l'avancée de la terrasse réduit mon champ de vision à ses grosses bottes de pêcheur. Tiens, j'aurais juré qu'il portait des godillots militaires, cet après-midi, curieux... Un craquement sec déchire le silence, il a dû se relever et se laisser tomber de tout son poids sur le banc central du canot : que fricote-t-il, bon sang de bonsoir ? Le rayon blême de sa lampe éclaire la terrasse, je m'appuie sur les coudes et je me déplace d'un mètre en arrière, des ombres moutonnent et grouillent derrière Julie qui se met à gigoter.

– Il y a quelqu'un ? tonne une voix caverneuse.

Le bois gémit, l'homme a quitté la barque, ses semelles caoutchoutées écrasent les plantes grasses qui prolifèrent dans la dune. Une bête velue zigzague au ras de mon nez, puis détale à l'air libre en piaulant, pi, pi, pi !

– Saleté de rat ! grogne le Tank.

Il revient arpenter le parquet de sapin situé au-dessus de nos têtes. Il secoue la poignée de la porte, s'élance de tout son poids contre le chambranle, tape du poing sur les volets, effectue le tour complet de la baraque et chasse une colonie de rongeurs qui galopent vers les buissons en rayant le plancher de leurs longues griffes.

L'homme se penche et promène sa torche sous la terrasse ; il cherche à localiser le terrier des fuyards, le pinceau de lumière se balade à quelques centimètres de mon visage.

Les lèvres de Julie frémissent à mon oreille :

– Je vais avoir une crise cardiaque !

– Chut, il en a juste après ces bestioles...

Le Tank recule de quelques pas. Le halo de sa lampe électrique sautille parmi les buissons de ronces qui délimitent le chemin.

– Ho ! Vous êtes là ?

– À qui s'adresse-t-il ? susurre Julie.

– Aux deux autres lascars, si je ne m'abuse.

Durant quelques minutes, il explore les alentours de la cabane. Un bruissement d'herbes froissées nous signale enfin qu'il s'est éloigné. Le flip-flop de ses bottes décroît le long du sentier qui mène à la plage, une dizaine de mètres en contrebas. Puis le silence retombe...

Julie se tortille sur le sable et, d'un bond, s'extirpe de notre refuge. Elle brosse ses vêtements à grandes claques enfiévrées, gesticule autour de la barque et pousse des gémissements inarticulés.

– Qu'est-ce que tu as ? La danse de Saint-Guy ?

– Non, j'ai une envie folle de me gratter, à cause des rats.

– C'étaient des musaraignes, pas des rats.

– De gros rats visqueux, avec de longues queues noires et des petits yeux rouges ! Tu n'y connais rien, tu n'en as jamais vu !

– Tu plaisantes ! À Paris, ils vivent dans les égouts et les tunnels du métro !

– Tu habites au fond d'un égout, toi ? Première nouvelle !

Elle recommence à m'asticoter, elle a repris du poil de la bête. Je lui souris. Elle se tait, interloquée... et me reçoit cinq sur cinq :

– Désolée, je ne peux pas m'empêcher de râler, admet-elle.

– Ne t'excuse pas, j'ai les nerfs en boule, moi aussi.

Elle se serre contre moi. Je lui propose de retourner dormir dans le canot jusqu'à

l'aube qui ne devrait plus tarder. Elle frissonne et risque un coup d'œil craintif vers
la terrasse : elle a peur que les rats ne réin-
vestissent leur repaire. La perspective de
les entendre trottiner et s'affairer sous la
cabane ne me réjouit pas non plus.
Comme j'ai honte de l'avouer à Julie, j'invoque le retour éventuel du Tank pour évacuer la place. Elle opine du chef :

– Où va-t-on, alors ?

– Piquer un petit somme à l'intérieur du
Chorizo ? Camouflé comme il l'est, on ne
court aucun risque.

– Bonne idée ! Prenons la bâche, il fait
frisquet, ce matin.

Je consulte les aiguilles phosphores-
centes de ma montre : cinq heures et demie.
À sept heures et quelques, il fera jour, nous
pourrons mettre le Chorizo à l'eau et rega-
gner le Cap-Ferret.

Bras dessus bras dessous, nous gagnons le
rivage. Le clapotis des premières vagues de
la marée montante chuinte dans le lointain.

15

Le cri monotone d'un coucou perché sur les hautes branches d'un arbre me sort d'un rêve peuplé d'assassins qui dissimulent leurs pattes griffues et leurs moustaches de rats sous une grande cape noire. Un fracas sinistre résonne dans la futaie. J'ouvre les paupières, une silhouette massive s'avance vers le bosquet où nous avons dissimulé le Chorizo. Je vois luire le métal d'une arme blanche au travers des frondaisons.

– Le Tank ! Julie, cours vers la forêt, je vais m'arranger pour le retarder !

Elle saute hors de l'annexe et bégaie, éperdue :

– Le taillis est plein d'épines, on ne peut pas y entrer !

– Si ! tant pis pour les écorchures ! Dégage, il a son couteau !

– Trop tard !

L'ombre progresse dans la broussaille en sabrant les ronces. Le chuintement d'une serpe se précise de seconde en seconde, zip, zip, zip. Je pousse Julie vers les fourrés, je ramasse une poignée de sable et je la lance au visage de l'agresseur qui saute en arrière et bougonne :

– Holà, les mômes, du calme ! Je ne vous veux aucun mal...

Je me fige, hébété. L'intrus écarte un rideau de feuillages, jette son outil à terre et s'arrête à deux mètres de nous, les bras en l'air. Ce n'est pas le Tank, mais un parfait inconnu, emmitouflé dans une grosse veste en cuir. Il me tend une pogne de bûcheron et m'interpelle d'une voix joviale :

– Quelle nuit j'ai passée, à ratisser l'île au peigne fin !

Julie lève vers lui sa frimousse apeurée et le détaille de la tête aux pieds :

– C'est vous qui rôdiez près de la baraque en rondins, je reconnais vos bottes !

Il part d'un vaste éclat de rire qui secoue sa bedaine :

– Je ne rôdais pas, je vous cherchais, mam'zelle le procureur ! Tu n'as pas l'air commode, toi, dis donc !

Je risque un petit gloussement complice. Julie me fusille du regard et l'accuse d'avoir partie liée avec le Tank. Perplexe, il fronce ses sourcils broussailleux et jure qu'il ne pilote ni tank ni char d'assaut, juste un vieil Arcoa équipé d'un Mercury rincé jusqu'à la corde qui lui permet de venir camper deux ou trois jours sur l'île quand il ne supporte plus de se quereller avec une épouse malcommode.

– Où habitez-vous ? investigue Julie qui ne lui cède pas un pouce de terrain.

– À Gujan-Mestras, miss Flic. Et ici, je dispose d'une cabane remplie de victuailles... Vous n'auriez pas un petit creux, par hasard ?

Mon estomac manifeste son enthousiasme d'un gargouillement tapageur. L'inconnu m'examine et plaisante :

– Ah, tu as entendu mon invitation ! Ventre affamé n'a pas d'oreille, dit pourtant le proverbe !

– J'avalerais un bœuf entier ! Pas toi, Julie ?

Elle acquiesce à contrecœur et demande à l'homme qui l'a averti de notre présence.

– Ton père, qui m'a téléphoné vers minuit avec le vague espoir que vous seriez là. J'ai battu le terrain, mais comme vous avez eu l'extravagance d'ensevelir votre Zodiac sous des branchages...

– Vous connaissez papa ? interrompt Julie, stupéfaite.

– Évidemment, il travaille chez Dubourdieu,

sur le port de Laros, à trente mètres de chez moi.

Il exhume de sa veste un mobile que Julie lui arrache des mains. Elle pianote le numéro de son domicile. Quelqu'un décroche à la première sonnerie.

– Maman ?

Une salve de sanglots jaillit à l'autre extrémité de la ligne. Julie fond en larmes à son tour et, d'une voix étranglée, rassure brièvement sa mère sur son sort. Elle abrège la conversation et me tend l'appareil :

– Téléphone chez toi, Fred !

Peu désireux d'en prendre plein la tête, je balaie sa proposition d'un geste catégorique. Elle lève les yeux au ciel, effleure les touches du téléphone et sort de la futaie pour gambader gaiement au bord de l'eau :

– Papa ? Tout va bien ! C'est ton ami qui nous offre le petit déj' !

Elle babille un moment avec Antoine et Cathy, le sourire aux lèvres, son joli minois

de rouquine creusé de fossettes. Je l'observe avec une pointe d'envie : ses parents
ne déterrent pas la hache de guerre, alors
que Sabine... J'inspire longuement, à plusieurs reprises, sans parvenir à évacuer
mon stress. Le copain d'Antoine pose sa
grosse main velue sur mon épaule :

– Au fait, je m'appelle Benoît. Des œufs
pondus tout frais de ce matin, ça t'intéresse ?

– Et comment ! La basse-cour itou !

– Tu ne crois pas si bien dire, jeune homme.

Il se dirige vers le sentier qui traverse
le bois et fait signe à Julie de nous suivre.
Après quelques minutes de marche, Benoît
sort de la forêt et nous guide vers une vaste
clairière semée de cabanes multicolores
auxquelles sont adossées des citernes d'eau
pluviale. Il les contourne, emprunte une
ruelle caillouteuse qui domine un étroit
chenal encombré d'ajoncs barbus au bout
duquel se dresse un Arcoa échoué au bord
d'une zone de prés salés que l'eau recouvre
deux fois par jour.

– Il est enlisé dans le marécage, votre bateau ?

– À marée basse, oui. Mais quand l'esteye[1] est plein, je dispose d'une sortie vers le sud du bassin.

Sa maison se situe en retrait des autres, à l'extrémité du chenal. C'est une vaste construction rectangulaire pourvue d'une cuisine d'été et d'un grand four en brique devant lequel picorent une vingtaine de poules.

– Tiens, voilà notre omelette qui se promène !

– Exactement, ponctue Benoît. Il arrive que des rongeurs se faufilent dans les nids où elles pondent pour manger leurs œufs, mais comme je les chasse à coups de fusil, c'est plutôt rare.

– Alors, c'est vous qui tiriez, hier soir !

La grimace involontaire de Benoît trahit sa confusion :

1. Nom donné aux petits chenaux dans la région.

– Il y avait un tel remue-ménage dans la broussaille que j'ai pensé qu'un marcassin venait de traverser le chenal de Piquey à la nage. Après avoir reçu l'appel d'Antoine, vers minuit, j'ai quadrillé la forêt huit heures d'affilée, la torche au poing, en priant le ciel de n'avoir tué personne.

– Dire qu'on a grelotté sous une vieille bâche au lieu de se prélasser dans un bon lit, ronchonne mon amie.

– Heureusement que vous l'avez emportée en abandonnant la maison construite sur la dune, cette bâche, car c'est en remarquant sa disparition que j'ai su que vous aviez dormi dans le canot et que j'ai centré mes recherches sur le rivage ouest de l'île.

– Vous avez le sens de l'observation !

Il m'approuve d'un sourire :

– J'avais relevé d'autres indices de votre passage : quand je suis passé près de la cabane, à l'aube, l'annexe était posée sur le sable, alors que son propriétaire la range toujours debout contre le mur de l'auvent.

Julie se tape le front du plat de la main :

– On s'est faufilés sous le plancher sans la remettre à sa place !

– Quelle mouche vous a piqués ? Il n'y a pas de fantôme ni d'ogre dans les parages !

J'échange un regard en douce avec Julie. Le mystère de l'île aux Oiseaux est éclairci, mais faut-il, pour autant, rompre le pacte conclu avec Katia l'avant-veille et dévoiler notre secret ? Signe d'anxiété, Julie se mordille l'ongle du pouce. Je ravale un soupir et je confie à Benoît qu'il a fait l'objet d'une méprise regrettable. Il m'adresse un clin d'œil amical :

– Ça t'apprendra à jouer les justiciers !

J'observe un silence prudent : où diable veut-il m'entraîner ? Dans des sables mouvants ?

– C'est ta mère qui a donné le signal du branle-bas de combat après avoir remarqué l'absence du Chorizo, m'expose Benoît.

Je le dévisage, estomaqué. Il poursuit :

– Elle a deviné que tu suivais la piste des trafiquants.

– Qui a craché le morceau ? Katia ?

Benoît précise :

– Ta mère a trouvé des photos de trois types à la mine patibulaire stockées dans ton ordinateur.

– Elle n'est pas grand reporter pour des prunes, Sabine Fontaine !

– D'après Antoine, elle a rameuté les ostréiculteurs de Piraillan et lancé une armada de chalands aux quatre coins du bassin.

J'en reste coi de saisissement : elle a fait ça, ma Parisienne de mère ?

– Ce n'est pas le père de Julie qui a piloté les recherches ?

– Une fois sur l'eau, évidemment, corrige Benoît. Mais lorsqu'il est rentré de son travail et qu'elle l'a informé du drame, il y avait déjà six ou sept bateaux qui fonçaient vers les passes d'Arcachon.

Je me laisse choir sur un banc, face à la table, et je fixe, l'œil rond, le plat que Benoît a placé devant moi.

– Elle ne te plaît pas, mon omelette, Fred ?

– Si, si...

Parsemée de lichettes de truffe, la préparation de Benoît est un pur chef-d'œuvre, mais c'est à peine si je m'en rends compte. Moi qui suis gourmand comme un chat, j'avalerais sans rechigner une assiette de purée au plâtre : que ma mère, si dure et si distante, se soit métamorphosée en saint-bernard, voilà qui me laisse rêveur. Pourtant, lorsque Benoît me susurre qu'elle est au désespoir, je ne cache pas mon agacement :

– Qu'est-ce que vous en savez, d'abord ?

– Elle m'a appelé plusieurs fois dans la nuit, bougre d'âne !

Julie s'empare du mobile posé sur la toile cirée et, d'une pichenette, l'envoie dans ma direction. Indécis, je lorgne le combiné.

– Allez, Fred !

La ligne du Réveille-Matin sonne dans un désert sidéral, celle du téléphone satellite est branchée sur le répondeur, ma mère est aux abonnés absents, une fois de plus. Les larmes me picotent les paupières, je quitte la table, je me précipite hors de la cabane... et je bouscule maman qui se retient à moi, me dorlote contre elle et bégaie comme une vieille platine déréglée :

– Mon bébé, tu n'as rien ? Tu vas bien, mon petit bébé ?

16

Maman s'agrippe à moi telle une noyée. Sa cuirasse de star des médias a volé en éclats. Elle a les yeux rouges et gonflés, le teint gris, ses vêtements sont maculés de boue, ses bottes terreuses ; je devine qu'elle n'a consenti à suspendre les recherches que tard la veille au soir et qu'elle a pataugé dans la gadoue, à marée basse, quand elle s'est résignée à suivre l'avis d'Antoine et à rentrer à terre. Elle m'avoue qu'elle n'a pas eu le cœur à se changer, ni à boire le bouillon de légumes que Cathy, Dieu seul sait comment, avait eu la force de préparer.

Bouleversé, je la berce contre moi, elle est si petite, si fragile que j'ai l'impression de serrer une figurine de cristal entre mes bras :

– Pardonne-moi, maman, je suis désolé.

– Non, c'est de ma faute, ma carrière m'obsède, je travaille comme une brute et je te néglige, je suis trop égoïste...

Des aboiements frénétiques retentissent, un balai-brosse surgit d'un fourré et se propulse vers moi à la vitesse d'un boulet de canon. Je cueille au vol le schnauzer qui me débarbouille à coups de langue :

– Alors, petite crapule ? On a faussé compagnie aux grandes crapules ?

Julie me reprend le chien et crible son museau noir de bisous. Elle éclate en sanglots, puis se met à rire, elle serre la bête à l'étouffer, elle ne sait plus où elle en est. Fou de joie, Crapulon lui plaque ses pattes antérieures sur les épaules et lui mordille les joues et les oreilles, il ne céderait pas sa place pour une côte de bœuf, le voyou.

– On ne saura jamais comment il s'en est sorti, murmure Julie.

– Il a dû nager jusqu'au rivage, il était trempé comme une soupe quand il a gratté à la porte de la cuisine hier soir vers dix heures, explique une voix féminine derrière nous.

Julie se retourne, court embrasser son père et sa mère, puis les entraîne dans une farandole endiablée qui les jette tous les trois haletants sur un banc adossé au mur extérieur de la cabane. Antoine passe le bras autour des épaules de sa fille et me confie d'une voix cassée par l'émotion :

– Je te remercie d'avoir empêché ces ordures de tabasser ma fille et Katia.

Le sang me brûle les joues, je ne sais pas quoi répondre. Julie s'interpose :

– Katia vous a raconté ce qui s'est passé avant-hier soir ?

– Oui, au moment où nous allions monter à bord d'un des chalands qui

179

sillonnaient le sud du bassin, explique Cathy. On a modifié l'axe des recherches quand elle nous a dit que vous étiez peut-être retournés à la jetée de Grand-Piquey, guetter les voleurs...

– Non, ce sont eux qui nous ont atta-qués par surprise au large de la Pointe-aux-Chevaux, rectifie Julie.

– Et sans votre fille qui a jeté une gaffe dans l'hélice de leur Suzuki, ces brutes m'au-raient noyé comme un rat !

– Dix partout, conclut Antoine avec un large sourire.

– Vingt pour Fred, c'est lui qui a eu l'idée de mettre le cap sur l'île aux Oiseaux lorsque nous sommes tombés en panne d'essence ! s'exclame Julie.

– Sauf que je rame comme un sabot alors que Julie est un vrai crack à la manœuvre !

Antoine me toise avec gravité :

– Tu as besoin d'une bonne leçon, Fred.

Je baisse la tête, confus ; je sais que

mon insouciance nous a fait courir de gros risques.

— D'une bonne leçon de navigation, enchaîne Antoine, un éclair de moquerie dans les yeux. Alors tu passeras le mois de juillet à la maison, je t'en donnerai une chaque soir.

Instinctivement, je pivote vers maman qui s'apprête à décliner son offre. Cathy lui coupe l'herbe sous le pied :

— Bien sûr, la chambre du grand-père de Julie est libre, il vit chez son amie les trois quarts du temps !

— Non, Fred, tu seras à Madrid, à cette période-là.

D'une voix étouffée, je ronchonne que j'en ai ras la casquette du sempiternel séjour linguistique d'été en Espagne ou en Angleterre.

Je supplie maman du regard. Elle refuse d'un signe de la tête. Antoine se décide alors à lui rappeler qu'elle a une dette envers lui depuis le matin où il m'a empêché de boire la tasse alors que je m'étais hasardé dans les vagues en pleine tempête pour ramener le Chorizo à terre.

– Exact, j'ai eu la grossièreté de vous demander combien je vous devais pour nous avoir tirés de ce bourbier, complète ma mère. Il m'arrive d'être brutale, parfois...

Je raille :

– Parfois ? Tu te sous-estimes, maman !

– Faute avouée est à moitié pardonnée, tranche le père de Julie. Mais pour que nous restions amis, il faut régler votre facture, Sabine !

– Et accepter de vous confier cette tête brûlée en juillet ? Vous êtes un saint, Antoine !

– Non, un père de famille. Sans Frédéric, je ne sais pas si ma fille serait toujours en vie, à l'heure qu'il est.

Un ange passe, Cathy frissonne et attire Julie dans ses bras. Maman rend les armes :

– D'accord, Fred, mais à une condition...

Anxieux, j'attends le verdict maternel. En me préparant au pire...

– À condition que tu m'aides à boucler mon enquête sur les voleurs de bateaux. On ne pincera sans doute jamais les mômes qui ont volé le groupe électrogène, alors qu'en revanche, avec les clichés que tu as pris du Tank et de ses complices, on peut remonter la filière et livrer toute la clique des truands à Interpol.

– Super, on ira à Tanger et sur les bords de la mer Noire !

– Oh, pour ça, il va falloir que tu rames, que tu rames et que tu rames ! plaisante maman, courbée sur des avirons invisibles.

Tout le monde explose de rire. Puis Benoît clôt le débat :

– Une deuxième omelette aux truffes avant de reprendre la mer, ça tente quelqu'un ?

L'auteur

Lauréate du Grand Prix de l'Imaginaire 2001, Jeanne Faivre d'Arcier a écrit deux romans fantastiques sur les vampires, *Rouge Flamenco* et *La Déesse écarlate*, jugés incontournables par les amateurs du genre. Elle a aussi publié plusieurs polars pour adultes et enfants, dont *Les Yeux de Cendre* en 2006, qui, comme *Nuit d'angoisse à l'île aux Oiseaux*, se déroule sur le bassin d'Arcachon.

Jeanne Faivre d'Arcier vit moitié à Paris, ou plutôt à Pigalle, moitié au Cap-Ferret. Elle a une passion pour les chiens, avec lesquels elle a de grandes conversations philosophiques. Son schnauzer barbu et noir comme l'enfer, nommé Chandler en hommage à l'auteur de romans noirs américain des années quarante, lui a inspiré le personnage du chien Crapulon...

Du même auteur

La Belle et les Clochards, coll. « Souris noire », Syros, 2004

Dans la collection
Souris noire